Guide des

fromages
du monde

Guide des

fromages
du monde

JUDY RIDGWAY

ÉDITION ORIGINALE

DIRECTION DE LA CRÉATION : richard dewing

DIRECTION ARTISTIQUE : clare reynolds

MAQUETTE : simon balley et joanna hill

DIRECTION ÉDITORIALE : toria leitch

ÉDITION : rosie hankin

PHOTOGRAPHIES : ferguson hill

ÉDITION FRANÇAISE

ADAPTATION FRANÇAISE : marie-line hillairet,
avec le concours de nicolas blot

COORDINATION ÉDITORIALE : philippe brunet

ISBN : 2-87677-391-0

Dépôt légal : 1ᵉʳ trimestre 2000

Composition et mise en page : PHB, Paris

Imprimé en Chine par Midas Printing Ltd

sommaire

Avant-propos d'Ari Weinzweig

*S*i, dans une situation d'isolement extrême, il ne leur était possible de choisir qu'une seule et unique denrée, la plupart des personnes de ma connaissance jetteraient leur dévolu sur le chocolat. Mon choix personnel se portera sur le fromage ; avec une miche de bon pain de campagne, je pourrai survivre pendant plusieurs jours ! Je me régale de tous les fromages, pour peu qu'ils soient bien faits et correctement affinés – des fromages de chèvre frais et crémeux aux bleus classiques comme le roquefort, le gorgonzola et le stilton. Je puis manger des cheddars du Somerset ou du Vermont, de délicieux gruyères suisses mûris à point ou des camemberts bien faits. Pour une saveur un peu plus prononcée, je choisis les fromages de brebis délicieusement piquants de l'Italie méridionale ou du centre de l'Espagne, un pont-l'évêque relevé ou un quartier de parmigiano reggiano vieux de deux ans (un des meilleurs fromages qui soient !). Le choix est infini.

J'aime le fromage depuis ma plus tendre enfance. Petit, j'avais pour préféré le fromage à tartiner en portions. En grandissant, je suis passé au cheddar et au gruyère suisse prédécoupé et préemballé. Fort heureusement, l'éventail des fromages s'est considérablement enrichi au cours de ces quinze dernières années. Le nombre des fabricants a fortement crû dans les pays qui n'étaient pas de tradition fromagère. Avec du lait de chèvre, de brebis ou de vache, ils réussissent à créer de nouvelles variétés, des fromages frais ou affinés, des bleus et des cheddars qui viennent s'ajouter à la liste déjà longue des fromages du monde entier.

Je peux donc affirmer, en connaissance de cause, que ce guide est un outil très utile pour acheter du fromage. Il est suffisamment petit et léger pour être glissé dans la poche avant de partir au marché : on le consultera discrètement en attendant son tour chez le crémier. Ce livre offre aux amateurs de fromages de précieux renseignements qu'il importe de connaître avant de faire un achat, renseignements portant sur l'histoire des fromages comme sur les particularités de chaque variété. Dans les mains d'un consommateur averti et curieux, ce Guide des fromages du monde est un livre qui contribuera à relever la qualité de la production de nombreux fromagers du monde entier. Lisez, goûtez, dégustez, essayez et laissez-vous tenter. J'espère que vous apprécierez autant que moi cette invitation à voyager à travers le monde des fromages, qui vous réservent leurs saveurs les plus enthousiasmantes.

Histoire du fromage

Historique

𝒫ersonne ne connaît avec exactitude le lieu et la date de naissance du fromage. À l'instar de maintes inventions, le fromage a certainement été découvert plus ou moins simultanément par plusieurs peuples. Nous savons que la domestication des moutons date de douze mille ans environ et que l'on élevait des vaches dans l'Égypte antique. On peut raisonnablement penser que le fromage a fait son apparition peu de temps après que ces bêtes eurent été domestiquées pour leur lait.

Le lait était conservé dans des outres en peau, des récipients en bois ou en poterie poreuse. Comme il était difficile de les garder propres, le lait frais devenait très vite aigre. L'étape suivante fut d'extraire le petit-lait du caillé pour obtenir une variété toute simple de fromage frais, qui a probablement donné naissance au fromage. On ne connaissait pas encore l'usage de la présure, aussi ces premiers produits fromagers avaient-ils sans doute un goût âcre et sur.

Un grand pas en avant a été accompli grâce à l'emploi de la présure pour faire cailler le lait. Les origines de ce processus de fabrication sont mal connues, mais l'on sait que dès le IVe ou IIIe siècle av. J.-C. le fromage était devenu un produit beaucoup plus élaboré. Dans l'Europe romaine, outre l'usage de la présure, on mettait déjà en œuvre des techniques de moulage et de pressage ; dans ses grandes lignes, le processus de fabrication du fromage à pâte dure s'apparentait beaucoup à celui que nous connaissons aujourd'hui.

Les soldats romains recevaient régulièrement une ration de fromage en accompagnement d'autres denrées telles que le pain, le vin et le sel. Dès l'édification d'une nouvelle place forte, on se mettait à fabriquer du fromage ; c'est ainsi que ce savoir-faire s'est répandu à travers l'empire.

Au Moyen Âge, les établissements religieux disséminés dans toute l'Europe, gérant d'immenses domaines fonciers, devinrent de grands centres agricoles. Le fromage était une denrée essentielle en période de jeûne, pendant laquelle la consommation de viande était prohibée. Les différents ordres religieux inventèrent de nombreuses variétés de fromage, peut-être pour agrémenter leurs repas souvent frugaux. De nombreux fromages aujourd'hui réputés étaient, à l'origine, associés à un monastère ou à un couvent. Le wensleydale, le pont-l'évêque et le tête-de-moine sont de ceux-là. De la fin de la période médiévale à la fin du XIXe siècle, la fabrication du fromage n'a cessé de se perfectionner en prenant des orientations distinctes. Les fromages à pâte dure se sont cantonnés dans les montagnes suisses et les régions vallonnées de la Grande-Bretagne, alors que les fromages à pâte molle et à croûtes lavée et fleurie ont pris la France pour terre d'élection. Avec l'essor du commerce et la croissance de la population urbaine, le fromage est devenu une denrée très prisée, d'un poids économique non négligeable. On entreprit de vendre les fromages en dehors de leurs régions d'origine, parfois même au-delà des frontières. Lorsque les Européens partirent à la conquête du Nouveau Monde, ils emportèrent avec eux les secrets de sa fabrication.

Tous les fromages étaient bien évidemment faits avec du lait cru, mais vers 1850 le microbiologiste français Louis Pasteur inventa le processus dit de «pasteurisation» – la fabrication du fromage s'en trouva radicalement transformée. Le lait cru renferme des micro-organismes qui, si le fromager manque de vigilance, risquent d'altérer le fromage et de contaminer le consommateur. C'est pourquoi la fabrication du fromage se pratiquait alors uniquement à petite échelle et exigeait un dur labeur.

La pasteurisation permit d'envisager une production fromagère à grande échelle et de mélanger des laits provenant de régions et de troupeaux différents afin d'obtenir un produit standardisé, sans micro-organismes. Les producteurs purent utiliser leurs propres cultures bactériennes et exercer un meilleur contrôle sur le processus global de production.

Le siècle écoulé a été marqué par la mise en œuvre de ces techniques scientifiques. Les fromageries artisanales ont été supplantées par de grandes laiteries industrielles. Dans de nombreux pays, les fabricants ont copié les fromages les plus appréciés et les ont produits à très grande échelle, ce qui a fini par nuire à leur qualité et à leur image de marque.

France

Dès l'époque romaine, la France avait la réputation de produire les meilleurs fromages du monde. On envoyait du roquefort et du cantal à Rome pour flatter le palais des citoyens aisés ; ce sont probablement ces fromages qu'évoque Pline l'Ancien dans son *Historia naturalis* au Iᵉʳ siècle de notre ère.

Ces premiers fromages étaient sans doute faits dans des écuelles en terre cuite appelées « mortaria ». Les bactéries nécessaires à la formation du lait caillé se conservaient d'un jour sur l'autre grâce à la surface rugueuse des parois intérieures de ces récipients ; on n'avait ainsi nul besoin de présure, d'herbes ou de vieux petit-lait pour faire coaguler le lait ; le petit-lait était évacué par le bec verseur. Le fromage blanc se fabrique encore de cette manière dans certaines régions françaises.

ci-dessus : *l'affinage du cantal.*

On ne sait si le roquefort et le cantal de l'époque romaine ressemblaient de près ou de loin à leurs équivalents actuels, mais il est probable que la tradition fromagère de ces régions se soit perpétuée après le départ des Romains. On a certainement continué à fabriquer du fromage dans les monastères aux VIIᵉ et VIIIᵉ siècles. Charlemagne, roi des Francs puis empereur d'Occident, encouragea vivement cette production. De multiples anecdotes font référence au goût de ce monarque éclairé pour de nouveaux fromages – dont il exigeait de recevoir des provisions suffisantes pour tout l'an.

À l'époque médiévale, la production de brie et de comté avait atteint un rythme de croisière, comme celle du munster, du maroilles et du livarot. Cette activité prit un certain essor car l'on avait coutume de faire présent de fromage aux personnes que l'on admirait ou que l'on souhaitait impressionner. Blanche de Navarre était célèbre pour les deux cents fromages qu'elle envoyait chaque année au roi de France, et le poète Charles d'Orléans offrait du fromage aux dames qu'il courtisait.

La production locale, assurée par les fermiers, était également en hausse. L'invention de nouvelles méthodes et techniques entraîna une diversification du choix. Le lait de vache et le lait de chèvre constituaient les ingrédients de base d'une grande partie de cette production locale. Progressivement, le lait de vache, disponible toute l'année, prit de plus en plus d'importance. Les fromagers locaux gardaient jalousement leurs secrets de fabrication. Bon nombre d'entre eux réussirent à protéger leurs fromages par voie légale. Une garantie d'authenticité est encore délivrée aujourd'hui pour quelque trente-deux fromages, grâce à l'appellation d'origine contrôlée (AOC) qui figure sur l'étiquette de fromage ci-contre (voir page 38).

Jusqu'au XVe siècle, la place occupée par le fromage dans l'alimentation d'une famille moyenne française était déterminée par la position sociale de celle-ci. Les pauvres mangeaient quotidiennement du fromage frais ou peu affiné. Les riches considéraient le fromage comme une fantaisie destinée à titiller le palais à la fin d'un repas copieux. Ils pouvaient se permettre de laisser vieillir le fromage pendant six, huit ou même douze mois. À la fin du XVe siècle cependant, il était devenu de bon ton, chez les gens aisés, de consommer du fromage frais. Celui-ci était non seulement servi en plat, mais également utilisé dans la confection de délicieux desserts et pâtisseries.

Les Français sont des épicuriens qui apprécient depuis toujours les bonnes choses, dont le vin et le fromage. Il n'est donc pas surprenant que de nombreux fromages français locaux aient survécu à l'épreuve du temps. On a coutume de dire qu'il existe un fromage français pour chaque jour de l'année.

Les producteurs français ont tiré parti de la découverte de la pasteurisation, mais les fromages fermiers ont continué de faire figure de référence pour les fromages laitiers (élaborés en laiterie industrielle). Dernièrement, la frontière entre ces deux types de fromages est devenue un peu floue, car les laiteries ont créé leurs propres fromages. Toutefois, les fromages laitiers, souvent fades, ne soutiennent pas la comparaison (même si certains ont trouvé des amateurs).

ci-contre : *pain, vin et fromage, des compagnons inséparables.*

Royaume-Uni

La Grande-Bretagne produisait certainement des fromages à pâte dure sous l'occupation romaine ; d'ailleurs, le cheshire se vendait à Rome. Les Romains appréciaient tant ce fromage qu'ils étaient prêts à tout pour en obtenir la recette – la légende veut qu'ils aient pendu un fromager de Chester qui refusait de la leur fournir. Avant l'arrivée des Romains, il est probable que les fromages simples à pâte molle étaient fabriqués dans des

ci-dessus : *vaches Bonchester dans le Roxburghshire.*

écuelles peu profondes, comparables à celles que l'on utilisait en France. Durant le haut Moyen Âge, la fabrication du fromage en revint à des méthodes primitives. Toutefois, les techniques plus élaborées employées pour la fabrication des fromages à pâte dure n'étaient pas totalement oubliées : les Celtes du pays de Galles et d'Irlande continuaient à fabriquer ce type de fromage. Avec l'expansion du christianisme et l'établissement de nombreux monastères, l'activité fromagère retrouva un second souffle.

À cette époque, on fabriquait le fromage en été, car l'on avait coutume d'abattre les vaches avant l'hiver. Jusqu'au XVIe siècle, les laits de chèvre et de brebis étaient aussi répandus que le lait de vache ; selon toute vraisemblance, le cheddar était à l'origine fabriqué avec du lait de brebis et du lait de vache.

La classification des fromages médiévaux reposait sur la texture, et non sur le lieu d'origine. Le commerce étant encore balbutiant, les fromages étaient vendus presque exclusivement sur place. Les diverses techniques de production finirent par s'implanter durablement, et la situation resta inchangée jusqu'au XXᵉ siècle.

Le fromage à pâte dure, élaboré avec du lait écrémé, était effectivement très dur (le temps de conservation, souvent long, n'améliorait pas les choses). On lui donnait le nom de «viande blanche», et il était destiné aux domestiques et aux ouvriers agricoles. Le fromage à pâte demi-dure, fabriqué avec du lait entier ou demi-écrémé et faisant l'objet d'une maturation plus brève, était beaucoup plus savoureux. Quant au fromage frais, considéré comme un produit de luxe, il était réservé au seigneur du lieu.

LE FROMAGE DU SUFFOLK

Les pires des fromages à pâte dure de l'époque médiévale étaient, dit-on, fabriqués dans l'Essex ou le Suffolk, régions productrices de beurre. Voici ce qu'on disait du fromage du Suffolk :

«Plus dur que Diable,

Les couteaux ne le peuvent entamer,

Le feu ne le fait point suinter,

Les chiens aboient devant lui, mais ne parviennent à le dévorer.»

Le fromage à pâte dure commença à perdre sa mauvaise réputation au XVIIᵉ siècle, lorsque le lait de vache supplanta tous les autres laits ; les fromages traditionnels de Grande-Bretagne gagnèrent peu à peu une certaine notoriété. Marchands et colporteurs achetaient les meilleurs fromages sur les marchés du Somerset, du Gloucerstershire et du Lancashire pour les revendre dans d'autres régions du pays où le fromage n'était pas aussi bon.

Vers la fin du XVIIᵉ siècle, les marchands de fromages londoniens constituèrent une guilde et entreprirent d'expédier du fromage par voie fluviale et même maritime, parfois vers des pays assez lointains. C'est à cette époque que le cheddar commença à forger sa

ci-contre : *tapisserie médiévale représentant une femme en train de traire une vache.*

réputation. Le fromage fut d'abord une denrée réservée aux gens aisés, puis les fermiers se réunirent en coopératives et purent alors fabriquer du fromage en quantité plus importante et le vendre moins cher.

Le stilton est mentionné pour la première fois par écrit en 1725 par l'écrivain Daniel Defoe, qui, lors d'un périple à travers l'Angleterre et le pays de Galles, traversa le village de Stilton et goûta au fromage. Il est étonnant de ne trouver aucune allusion au bleu avant Defoe, même s'il y a toujours existé des fromages qui devenaient naturellement bleus – comme le blue wensleydale, fabriqué par les moines de l'abbaye de Jarvaulx dans le Yorkshire.

Le stilton, qualifié de «roi des fromages» par les Anglais, n'a jamais été fabriqué à Stilton, même si c'est à l'auberge du village qu'il a acquis sa renommée ; celle-ci était approvisionnée en fromage par une certaine Elizabeth Scarbrow (à qui succédèrent sa fille puis sa petite-fille). La recette originale du «fromage de lady Beaumont» provenait d'un village voisin où Elizabeth exerçait le métier de gouvernante. À l'heure actuelle, c'est le seul fromage anglais à bénéficier d'une protection légale. Les droits sont détenus par la Stilton Cheesemakers' Association.

Certification Trade Mark

ci-dessus : *le logo de la Stilton Cheesemakers' Association.*

À l'époque, le temps de maturation du stilton était beaucoup plus long. Defoe raconte qu'il était servi avec des asticots agglutinés sur la croûte, ce qui nécessitait de le manger à la cuillère. Néanmoins, sa popularité s'accrut tant et si bien que l'auberge se mit à vendre du stilton à deux shillings six pence la livre, prix qui restera inchangé jusqu'au XXᵉ siècle.

L'Écosse fabriquait un petit fromage frais comparable au cabécou, dont la recette datait du XVᵉ siècle, mais préférait transformer son lait en beurre. C'est sans doute pourquoi le dunlop, seul fromage écossais traditionnel à pâte dure, est une variante du cheddar.

L'Irlande, qui poursuivit la production à petite échelle d'un assortiment de fromages frais et affinés, peut maintenant s'enorgueillir d'une gamme d'excellents fromages fermiers.

Au XIXᵉ siècle, la fabrication du fromage en Grande-Bretagne connut un essor important grâce à la mise au point, par les scientifiques, du processus de fermentation. C'est avec une certaine tristesse que l'on a vu la pasteurisation et les techniques industrielles supplanter les anciennes traditions fermières, et ce beaucoup plus qu'en France ou en Espagne. Pendant de longues années, les fromages britanniques furent, au mieux, médiocres, et, au pire, simplement mauvais.

Cependant, à l'aube du troisième millénaire, la fabrication artisanale du fromage connaît un second souffle : la demande d'un fromage bien fait et goûteux va croissant. Il est maintenant possible d'acheter à la ferme des fromages traditionnels de fabrication artisanale. Il y a également pléthore de nouveaux fromages fermiers de vache, de chèvre ou de brebis. On assiste presque partout aujourd'hui à une renaissance des fromages locaux.

ci-dessus : *le village de Cropwell Bishop avec sa crémerie sur le côté gauche de la rue principale.*

Italie

En Italie, la fabrication du fromage a démarré sous d'excellents auspices. Les Romains de l'Antiquité, qui détestaient le lait cru, préféraient en faire du fromage. Le lait était principalement de chèvre et de brebis, et on le faisait coaguler avec du jus de figues. Avec la découverte de la présure, la fabrication du fromage se fit plus élaborée. Dès le Iᵉʳ siècle av. J.-C., les variétés de fromages étaient nombreuses. La ration quotidienne du soldat romain comprenait un morceau de fromage. Les Romains faisaient un usage abondant du fromage dans la cuisine. Ils confectionnaient notamment des tourtes, des pains et des gâteaux à base de fromage et de miel, et même des friandises parfumées au fromage.

Le fromage frais, souvent aromatisé d'herbes ou d'épices, et le fromage fumé étaient fort appréciés. On les dégustait le jour ou la nuit, en en-cas ou à l'occasion d'un repas. Très tôt, l'on trouva des fromages caillés à la présure, des fromages à pâte filée et des fromages secs, ainsi que des fromages à texture grenue (ou grana) comme le parmesan. Les gens aisés pouvaient même compléter leurs plateaux avec des fromages français, grecs et britanniques.

Pendant le haut Moyen Âge, les communautés religieuses, en particulier dans la vallée du Pô, s'attachèrent à perpétuer cette tradition fromagère. Au XIIIᵉ siècle, le gorgonzola et le parmesan jouissaient d'une grande notoriété. À mesure que les moines veillaient à l'expansion des pâturages inondables dans le bassin du Pô, le lait de vache remplaça progressivement le lait de brebis.

On trouve la première référence au parmesan, dans le *Déca-*

ci-dessous : *le salage de la mozzarella dans une solution de saumure.*

méron de Boccace, au XIVe siècle. Un des personnages parle de la «grosse montagne de parmesan finement râpé» sur laquelle se tenaient des gens affairés à préparer des macaronis et des raviolis. Il ajoute que toutes ces friandises étaient «roulées dans le fromage après la cuisson, pour les mieux assaisonner».

Le reste de l'Italie ne possède pas de prairies inondables aussi belles que celles de la vallée du Pô. Dans maintes contrées, les brebis étaient l'unique source de lait pour fabriquer le fromage. En conséquence, la Toscane, le Latium, la Campanie, la Sardaigne, les Pouilles et la Sicile sont des provinces renommées pour leurs fromages de brebis – portant le nom générique de pecorino.

ci-dessus : *le brassage et la divison du caillé.*

En fait, l'Italie a une géographie tellement diversifiée qu'elle commence à faire concurrence à la France pour la variété de ses fromages. Dans le Nord, les pâturages des Alpes produisent leurs fromages de montagne, alors que les régions marécageuses du Sud offrent un climat idéal pour l'élevage des bufflonnes dont le lait sert à la fabrication de la mozzarella.

Nul ne sait vraiment d'où sont venus ces buffles. D'aucuns affirment qu'ils seraient arrivés en Italie avec les Lombards à la fin du VIe siècle. D'autres les prétendent indigènes. En tout état de cause, jusqu'au début du XIXe siècle, l'élevage des bufflonnes était très répandu dans plusieurs régions d'Italie. Les bêtes étaient laissées dans la nature à l'état semi-sauvage et rassemblées le soir pour la traite.

Comme en France, les fortes traditions fromagères locales et le penchant avéré des Italiens pour le bon fromage ont contribué à la pérennité d'une production de fromages de qualité, malgré le développement des méthodes industrielles.

Suisse

L'histoire du fromage helvète est aussi longue et étonnante que celle du fromage français. Bien des siècles avant la naissance du Christ, les ancêtres celtiques des Suisses avaient coutume de faire du fromage dans des coupes rustiques suspendues au-dessus d'un feu de bois, en remuant et en divisant le caillé avec des branches de pin. Ils obtenaient un fromage à l'écorce dure, insensible aux ravages du temps. Ce fromage celtique, idéal pour les habitants des montagnes isolés du monde pendant des mois à cause de la neige, fut certainement le précurseur de fromages de montagne universellement copiés, comme le gruyère et l'emmental.

Le gruyère est mentionné en 1115 dans les manuscrits de l'abbaye de Rougemont près de Gruyère. Autre fromage très ancien, le vacherin fribourgeois (qu'il ne faut pas confondre avec le vacherin mont-d'or) fut servi dès 1448 aux rois en visite dans la région.

En Suisse, le fromage était considéré comme une marque de statut social. La prospérité d'une famille se mesurait à la quantité et au degré de maturation des fromages qu'elle conservait dans sa cave, ce qui n'était pas surprenant dans une communauté où le fromage servait de monnaie ; en effet, les prêtres, les artisans et les ouvriers étaient payés pour partie avec de l'argent liquide et pour partie avec du bon fromage.

Les Suisses vendent leurs fromages depuis l'époque romaine. Certains de ces produits suscitent un tel engouement à l'étranger que quelques pays ont dû prendre des mesures pour protéger leur marché intérieur.

Le fromage suisse est fabriqué avec du lait non pasteurisé. C'est peut-être cette tradition de fabrication de bons fromages fermiers qui a permis de faire barrage à la production industrielle avec plus d'efficacité que dans la plupart des autres pays. Les fromages suisses figurant dans le présent ouvrage sont contrôlés par des coopératives régionales, elles-mêmes surveillées par un organisme national. Aucune région n'est autorisée à fabriquer un fromage qui ne soit pas désigné comme originaire de celle-ci.

ci-contre : *assortiment de fromages suisses.*

Pays-Bas et Allemagne

Les Pays-Bas produisaient déjà du fromage au IXᵉ siècle apr. J.-C. Divers documents indiquent que le fromage destiné à la cour de Charlemagne était fait en Frise.

La production de fromage se développe au Moyen Âge avec l'appari-tion, à Haarlem, Linden et Leeu-warden, de maisons de pesage – ou kaaswaag – assurant la régula-tion de la taille et du poids des fromages.

Les premiers fromagers bataves mirent au point des fro-mages aux qualités de conserva-tion extraordinaires, faciles à transporter et donc à exporter – via l'Allemagne et la mer – vers les régions éloignées de la Baltique et de la Méditerranée. Les exporta-tions se poursuivirent pendant des siècles vers des pays aussi lointains que les Indes orientales néerlan-daises et l'Amérique du Sud. Aujourd'hui, les exportations de fromages connaissent un tel succès que, pour beaucoup, la Hollande est synonyme de fromage.

ci-dessus : *le célèbre marché d'Alkmaar aux Pays-Bas, où l'édam et le gouda sont exposés à la vente.*

L'Allemagne fabrique du fromage à pâte dure mais elle est spécialisée depuis des siècles dans la production de fromage frais sans présure. Le quark, version moderne de ce type de fromage, représente toujours la moi-tié de la production fromagère allemande. La présure a été introduite au Moyen Âge, mais les fromages allemands à pâte dure actuels ne datent pas de plus de cent cinquante ans environ. La plupart sont des copies de fro-mages originaires d'autres pays. Le limburger käse, par exemple, provenait de Belgique, le munster de France ; l'allgäuer emmentaler est calqué sur l'emmental suisse.

Aux Pays-Bas et en Allemagne, tous les fromages – c'est la loi – sont fabriqués avec du lait pasteurisé. L'essentiel de la production est assurée par de très grosses usines. À une ou deux exceptions près, les résultats sont parfaitement acceptables.

Scandinavie

L'on raconte que les Vikings capturés par les Maures au IXe siècle eurent la vie sauve pour avoir divulgué à leurs geôliers tout ce qu'ils savaient sur la fabrication du fromage. Bon connaisseurs en matière de bétail, les Vikings ont introduit en Europe de nouvelles races bovines dont certaines sont à l'origine des lignées de vaches modernes telle que la normande, la guernesey ou la gloucester. Les Vikings embarquaient vaches et taureaux sur leurs drakkars ; ces bêtes étaient ensuite croisées avec les bovins originaires du pays où ils s'installaient.

ci-dessus : *graines de cumin, traditionnellement utilisées pour parfumer le fromage.*

Les premiers fromages scandinaves dignes d'intérêt furent probablement fabriqués au Danemark, où les tribus primitives élevaient des chèvres, des moutons et des bovins. Malgré ces débuts précoces, le Danemark a peu de variétés de fromages. Comme en Allemagne, la plupart de ses fromages manquent d'originalité. Toutefois, le fromager retirait une certaine fierté, quand la qualité de ses fromages était reconnue. Certains fromages étaient tellement gros qu'il fallait plusieurs hommes pour les soulever.

En Norvège et en Suède, les premiers fromages étaient fortement parfumés et se gardaient longtemps (le gammelost, par exemple) ; ils servaient à nourrir les navigateurs scandinaves qui passaient de longs mois en mer. Les fromages fumés ou aromatisés au cumin ou aux clous de girofle étaient également très appréciés pour leurs grandes qualités de conservation.

Jusqu'au XVIIIe siècle, les aliments constituaient une monnaie couramment utilisée pour payer les impôts ecclésiastiques. Dans les régions où les pâturages étaient propriété de l'Église, on utilisait le lait ou le fromage. Le pasteur faisait ensuite du fromage avec le lait, pour l'échanger ensuite contre d'autres denrées. Ces fromages portaient le nom de prastost ou « fromages de presbytère ».

Aujourd'hui, en Scandinavie, la production de fromage s'effectue selon des méthodes industrielles, avec du lait pasteurisé.

Espagne et Portugal

L'Espagne présente des zones climatiques extrêmement contrastées. Au centre et au nord, le climat est chaud et aride ; dans le nord-ouest, le long des monts Cantabriques et en Galice, de beaux pâturages s'étendent au gré des vallées et des collines verdoyantes. Jadis pourtant, ces deux régions se consacraient essentiellement à l'élevage des ovins : les fromages espagnols traditionnels étaient tous à base de lait de brebis ou de chèvre.

Récemment, le lait des vaches élevées dans le nord-ouest du pays et aux Baléares s'est mis à gagner du terrain. Une partie de ce lait est utilisée pour la fabrication de nouveaux fromages, et l'autre sert à la production de variétés déjà connues – comme le cabrales ou le picón, qui maintenant sont souvent élaborés à partir d'un mélange de différents laits.

L'Espagne consommait autrefois toute sa production de fromage, mais aujourd'hui ses produits se font une place sur le marché international. En raison peut-être de l'essor tardif de sa production fromagère, l'Espagne n'a instauré qu'en 1981 un système d'appellation contrôlée pour le fromage.

Les fromages portugais sont moins connus en dehors de leur pays d'origine que les fromages espagnols. Cela est dû au fait que la production est peu importante, malgré une forte demande du marché intérieur. La plupart des fromages consommés dans le pays sont produits au Portugal, selon des procédés artisanaux. Même le queijo da serra ou «fromage de montagne», le plus vendu dans le pays, est fabriqué dans de petites fermes avec du lait de chèvre ou de brebis non pasteurisé. Le fromage portugais est intéressant en cela que beaucoup de producteurs n'utilisent pas de présure mais préfèrent préparer leurs propres cultures avec les feuilles et les fleurs d'un chardon sauvage. Ces fromages sont souvent tout à fait excellents.

ci-dessous : *paysage de Galice.*

États-Unis

Les États-Unis sont actuellement le plus grand pays producteur de fromages dans le monde, bien que l'industrie fromagère n'y ait débuté qu'en 1851, année où Jesse Williams ouvrit la première usine de cheddar dans l'État de New York. De nombreuses d'usines se sont créées depuis lors, qui produisent diverses variétés de fromages, mais le cheddar ou les fromages à base de cheddar se taillent la part du lion.

Il existe peu de fromages typiquement «américains», et l'on peut en outre signaler que même le colby et le jack se sont inspirés du cheddar, et que le brick et le liederkranz évoquent le limburger käse. Cela n'est pas vraiment surprenant, dans la mesure où chacun de ces fromages provenait d'un autre pays. Les premiers fromages de fabrication américaine étaient ceux que les immigrants connaissaient déjà. En raison sans doute de l'absence de fromages traditionnels, les Américains consomment les fromages sans intérêt en vente dans la majorité des supermarchés et font usage d'une grande quantité de fromages à tartiner (cheddar le plus souvent) et des fromages d'imitation.

Pourtant, des crémiers passionnés encouragent leur clientèle à apprécier le bon fromage, non seulement en important du fromage d'Europe, mais aussi en incitant les producteurs américains à fabriquer de bons produits. Le cheddar tillamook d'Oregon, le jack de Californie et le maytag blue d'Iowa, ainsi que la tomme du Kentucky témoignent de cette volonté nouvelle. En outre, un nombre croissant de petits producteurs élaborent désormais un assortiment de délicieux fromages de chèvre, frais et secs.

ci-dessus : *la Maytag Dairy Farm, dans l'Iowa.*

Australie et Nouvelle-Zélande

La production australienne de fromage – du cheddar – débuta en Nouvelle-Galles du Sud au début du XIXe siècle. Les autres États ne tardèrent pas à suivre cet exemple, et pendant une centaine d'années ou plus, on fabriqua dans les fermes du cheddar atteignant plusieurs stades de vieillissement.

L'arrivée en Australie d'immigrants originaires de pays autres que la Grande-Bretagne favorisa l'introduction de diverses techniques de fabrication. L'on trouve maintenant des copies de fromages provenant de nombreux pays d'Europe.

La Nouvelle-Zélande possède également une industrie fromagère florissante. Elle produit toutes sortes de fromages, ce qui n'empêche pas le cheddar de tenir le haut du pavé dans les deux pays.

Autres pays

Le Canada n'est ni un pays gros consommateur ni un producteur de fromages, bien que son cheddar se soit fait un nom dans le monde entier.

La Belgique et l'Autriche ont toujours produit du bon fromage, mais ces pays sont éclipsés par leurs voisins. La Belgique s'attache actuellement à produire un nouvel assortiment de fromages de fabrication industrielle.

Le fromage occupe une place relativement importante en Grèce et dans les Balkans, où le lait est fourni par les troupeaux de brebis et de chèvres. Une grande partie de la production actuelle est à base de fromage frais conservé dans la saumure (comme la feta). Il existe également des fromages pressés et affinés, tels le kefalotiri et le haloumi. La Russie produit des quantités considérables de fromages, mais n'en exporte aucun.

En Afrique du Sud, les immigrants originaires de Grande-Bretagne et des Pays-Bas ont apporté leurs traditions fromagères, c'est pourquoi le cheddar et les fromages de Hollande, dont le gouda, occupent une place prépondérante. Il existe également une production fromagère artisanale dans les propriétés vinicoles et les fermes.

Les connaissances en matière fromagère ont été exportées en Orient comme en Occident à partir de l'Asie Mineure, mais n'ont connu qu'une application limitée. L'Inde fabrique un fromage caillé simple : le paneer.

Les Sud-Américains n'ont jamais vraiment acquis le goût du fromage : ils préfèrent élever les bovins pour la viande. En Amérique centrale, en Afrique et dans certaines régions de l'Asie du Sud-Est, le climat est trop chaud pour fabriquer du fromage, ce qui explique que cette denrée n'ait jamais fait partie de l'alimentation quotidienne de ces pays.

Fabrication du fromage

Tous les fromages, excepté le plus simple des fromages frais non affinés, sont fabriqués selon les mêmes principes, mais ils présentent néanmoins une extraordinaire variété. C'est là qu'intervient le savoir-faire des fromagers, dont le talent a produit les centaines de fromages différents parmi lesquels il nous est possible de faire notre choix.

Le fromage est obtenu en enlevant l'eau, ou petit-lait (lactosérum), du lait et en permettant aux solides du lait (ou caillé) de fermenter de manière contrôlée. La première étape consiste à collecter et à préparer le lait, la seconde à produire le caillé et la troisième à le concentrer en le divisant, en le chauffant et en le salant. Le fromage est ensuite affiné.

Chaque étape est cruciale, non seulement pour produire un fromage de bonne qualité mais aussi pour déterminer la variété du fromage. Par exemple, la manière dont s'effectue la division du caillé affecte la texture du fromage, et la méthode de salage influe sur l'affinage.

Le fromage se fabrique selon un procédé tellement complexe et le traitement de chaque fromage est tellement difficile que deux fromages issus de lait d'une même livraison et soumis au même processus n'auront pas nécessairement le même goût. C'est évidemment ce qui fait le charme du vrai fromage fermier. Seul un fromager industriel vise à fabriquer des fromages d'une même espèce qui auront tous le même goût.

La collecte et la préparation du lait

Les petits producteurs recueillent le lait cru produit par leurs propres animaux ou ceux des fermes voisines ; les usines le reçoivent par citernes. Il doit être le plus propre possible, ce qui ne s'avère pas toujours facile, en particulier si le lait provient de différentes sources. La plupart des petits producteurs utilisent du lait cru non traité, mais les gros producteurs pasteurisent presque toujours leur lait.

Le lait est un matériau brut qui diffère d'une livraison à l'autre, et l'on distinguera ces différences dans le produit fini qu'est le fromage. C'est la raison pour laquelle les gros producteurs ont recours à la pasteurisation, afin de standardiser le lait et de le rendre mieux adapté au processus spécifique qu'ils ont décidé d'employer. Ils obtiennent un produit uniforme, propre et sans doute agréable au palais, mais dépourvu de caractère.

Les petits producteurs, eux, s'attachent à faire ressortir ces différences. Ils connaissent des échecs, mais en contrepartie ils réussissent à créer des textures et des goûts excellents. Pour bon nombre d'amateurs de fromage, le contraste existant entre les fromages à base de lait cru et ceux à base de lait pasteurisé est identique à celui qui existe entre un vin de table ordinaire et un grand vin. Selon eux, la pasteurisation désactive les enzymes naturels du lait qui, normalement, contribuent à l'élaboration de la saveur finale du fromage. Elle retarde également l'action de la présure ; le caillé exige alors un temps de maturation plus long pour donner une texture et un goût adéquats.

La législation de certains pays, dont le Danemark, l'Allemagne et les Pays-Bas, impose que le fromage de vache soit fabriqué uniquement avec du lait pasteurisé. Les États-Unis ont la même exigence pour les fromages dont la durée d'affinage est inférieure à soixante jours. Les autres pays résistent à ces lois en invoquant le fait que le fromage au lait cru ne présente aucun risque pour la santé des consommateurs, pour peu que les producteurs s'engagent à respecter des consignes d'hygiène très strictes. Fait paradoxal, on compte moins de problèmes de santé liés à la consommation de fromages au lait cru qu'à celle de fromages au lait pasteurisé.

De plus, les quelques cas de listériose enregistrés à ce jour ont presque tous été décelés dans des fromages fabriqués avec du lait pasteurisé. La majorité des fromages produits dans le monde sont maintenant à base de

ci-dessus : *traite d'une vache à la ferme.*

ci-dessus : *la rupture du caillé.*

lait de vache, disponible tout au long de l'année, mais on compte aussi de nombreux fromages faits avec du lait de chèvre ou de brebis. On utilise également le lait de bufflonne, de yack et de chamelle, mais uniquement dans des régions reculées.

On a tendance à penser que le lait est un produit standard, mais il est suceptible de varier énormément. Des vaches de races différentes produisent des laits de goût différent. L'alimentation de l'animal, le sol sur lequel pousse l'herbe, et même le temps qu'il fait le jour de la traite affectent la nature du lait. Le lait obtenu en fin de traite est plus riche en matière grasse que celui du début, et l'on constate une différence entre le lait du matin et celui du soir. Le lait d'été a la réputation de produire un meilleur fromage que le lait d'hiver. Pour fabriquer son fromage, le petit producteur tiendra compte de tous ces facteurs.

Il est possible d'élever des brebis et les chèvres dans des endroits impropres à l'élevage des vaches, ce qui rend possible la production de fromage. Le lait de chèvre est rarement pasteurisé car il renferme peu de micro-organismes responsables de maladies. Par le passé, le lait de ces animaux était uniquement disponible pendant la première moitié de l'année.

Les fromages de chèvre n'étaient produits que durant ces mois-là, et l'on vendait encore pendant quelques mois de plus des fromages nécessitant un temps d'affinage plus long. Certains producteurs utilisent maintenant du lait de chèvre ou du caillé surgelé pour prolonger la saison de fabrication du fromage. D'autres, qui possèdent de plus grands troupeaux, ont mis au point des systèmes d'élevage hors saison.

La première étape de fabrication du fromage consiste à verser le lait dans un ou plusieurs grands conteneurs. On peut ensuite enrichir le mélange en ajoutant de la crème ou bien écrémer le lait, partiellement ou entièrement, pour obtenir du fromage allégé.

Pour pasteuriser le lait, il faut le chauffer à 71 °C et le garder à cette température pendant 15 secondes. Ce procédé altère la saveur du lait qui, à son tour, donne un léger goût de cuit au fromage. Pour pallier cet inconvénient, certaines fromageries chauffent moins leur lait – 46 °C – et le maintiennent à cette température pendant 30 minutes.

On colore certains fromages en ajoutant au lait une teinture végétale naturelle, comme le rocou. D'autres sont aromatisés avec des herbes ou des épices, comme la sauge ou le cumin ; on peut également les ajouter plus tard. Les lois concernant les ingrédients pouvant être ajoutés au fromage diffèrent selon les pays producteurs.

La production du caillé

Si l'on n'intervient pas, le lait cru fermentera naturellement, mais de façon imprévisible. Le lait pasteurisé ne fermente pas de la même manière. Ainsi, quel que soit le type de lait, on ajoute une culture bactérienne spéciale qui transforme les sucres du lait (lactose) en acide lactique. Elle augmente le taux d'acidité du lait de telle sorte que la protéine du lait (caséine) donne du caillé si l'on ajoute au lait un agent coagulant, généralement de la présure.

Après avoir ajouté la culture bactérienne, le fromager teste en permanence le taux d'acidité du lait pour savoir à quel moment incorporer la présure. Sous l'action de la présure, les molécules de protéines s'agglomèrent ; on obtient alors une gelée molle que l'on laissera se figer à une température donnée pendant une durée de 30 minutes à 2 heures.

Les températures varient de 21° à 35 °C selon le fromage. Les basses températures sont préconisées pour les pâtes molles et les hautes températures pour les caillés caoutchouteux nécessaires à la fabrication des fromages à pâte demi-dure. On utilise les températures moyennes pour les fromages à pâte dure comme le cheddar. Pour certains fromages, comme le quark et le fromage frais, le caillé est obtenu au moyen de la seule formation de ferments lactiques, sans ajout de présure.

LA PRÉSURE

La présure animale est une substance extraite de la caillette de l'estomac des jeunes animaux ; mais, grâce aux recherches effectuées dans ce domaine, on peut maintenant utiliser une présure végétale extrêmement concentrée (la présure végétale issue de plusieurs plantes jadis employée n'était pas assez active pour faire coaguler les grandes quantités de lait nécessaires à une production de masse).

La concentration du caillé

L'étape suivante consiste à séparer le caillé du petit-lait et à le concentrer ; les méthodes diffèrent selon le type de fromage. Tout d'abord, le caillé est divisé pour favoriser une élimination plus rapide du petit-lait. La manière dont cette opération est pratiquée détermine la teneur en humidité du produit fini, ainsi que sa consistance. Pour un fromage à pâte molle, le caillé est rompu avec modération ; on le prélève ensuite à la louche pour former des monticules et le laisser s'égoutter naturellement. Pour certains fromages, comme le camembert, le caillé n'est presque pas rompu. Pour les fromages à pâte plus dure, le caillé est rompu soit verticalement et horizontalement en petits morceaux, soit peigné en filaments. Cela permet l'écoulement d'une plus grande quantité de liquide et donne un fromage plus ferme et plus sec. À mesure que les petits morceaux de caillé tombent au fond de la cuve, ils se collent derechef en formant une masse solide qui peut être à nouveau rompue pour donner au fromage une texture grenue.

ci-dessous, à gauche : *transfert du caillé à la louche, de la cuve au plateau.*
ci-dessous, à droite : *le « cheddaring ».*

Le « cheddaring » est une méthode particulière de division du caillé qui permet d'obtenir la texture fine et onctueuse caractéristique du cheddar. Le caillé est divisé en gros blocs (comparables à des parpaings) que l'on empile l'un sur l'autre le long de la paroi de la cuve, afin d'extraire le plus de petit-lait possible sans trop rompre le caillé.

De même qu'il divise le caillé, le fromager peut également le chauffer ou le faire cuire. La chaleur modifie la consistance du

ci-dessus : *l'égouttage du caillé dans une étamine.*

caillé, le rendant plus dense et beaucoup plus compact. Le fromage ainsi obtenu aura une texture plus ferme et nécessitera un affinage plus long que le fromage à pâte non cuite. Les températures varient de 41 °C pour les fromages comme la fontina, à 49 °C ou plus pour le gruyère et l'emmental. Pour la mozzarella et le provolone, le caillé est divisé et chauffé jusqu'à ce qu'il prenne la forme de filaments tendres. Il est ensuite pétri et étiré de façon à le rendre encore plus compact. On parle alors de fromages à pâte filée (« pasta filata »).

Le petit-lait peut également servir à faire du fromage. Le mesost suédois et la ricotta avaient coutume d'être fabriqués ainsi, mais aujourd'hui on utilise du lait écrémé ou même du lait entier.

Un grand nombre de fromages sont maintenant mis dans des moules perforés pour poursuivre l'égouttage et passer ensuite à l'affinage. Ces moules de formes et de tailles diverses répondent souvent à des modèles traditionnels. Les matériaux sont aussi variés que le bois, l'acier inoxydable, l'osier ou l'étamine. On peut laisser les fromages durcir naturellement ou les presser avec plus ou moins d'intensité. Bien sûr, plus on presse le fromage, plus la pâte sera ferme.

Tous les fromages, excepté les fromages blancs à la crème et le cottage cheese, sont salés. Le sel modifie le taux d'acidité du fromage, ralentit l'action de la culture bactérienne et détermine ainsi la durée de maturation du fromage. Il permet aussi de supprimer les bactéries responsables de la putréfaction.

ci-contre : *les caves naturelles offrent une température et un pourcentage d'humidité idéals pour la conservation.*

On peut ajouter le sel au caillé broyé (cheddar) ou frotter la surface du fromage déjà formé avec des grains de sel (parmesan et roquefort). On peut aussi tremper le fromage entier dans la saumure après le moulage ; on utilise cette méthode pour l'emmental et certains autres fromages suisses. Enfin, on frotte ou on «lave» l'extérieur de certains fromages (taleggio et livarot) avec un linge trempé dans la saumure. Quelques fromages, comme la feta grecque, sont tellement salés que l'activité bactérienne est totalement stoppée ; ils ne nécessiteront aucun affinage.

L'affinage du fromage

L'affinage est un processus très compliqué au cours duquel les microbes et les enzymes du fromage changent de composition chimique ; les molécules organiques complexes se simplifient radicalement, et le fromage commence à prendre sa texture et son goût particuliers.

Cette étape importante du séchage se déroule dans des caves naturelles ou dans des pièces spéciales où la température et l'humidité sont contrôlées avec soin. On maintient une température assez basse pour que les organismes convoités contenus dans la culture bactérienne se développent à une allure lente et constante. Une croissance trop rapide occasionne un affinage irrégulier et la production de substances chimiques indésirables. Le taux d'hygrométrie est assez élevé, autour de 80 pour cent pour les fromages à pâte dure et de 95 pour cent pour les fromages à pâte molle, ce afin d'empêcher que le fromage ne se dessèche en surface.

Les fromages à pâte molle, comme le camembert, le coulommiers et le brie, parviennent rapidement à maturation : les températures de leurs caves d'affinage sont donc moins élevées que celles des caves réservées aux fromages à pâte dure. Les fromages à pâte molle mûrissent de l'extérieur vers l'intérieur. Pour certains fromages, on ajoute à la culture bactérienne de la moisissure de pénicilline, alors que pour d'autres on la pulvérise. Dans les deux cas, les moisissures favorisent la création d'une croûte fleurie duveteuse sur le jeune fromage puis poursuivent leur travail à l'intérieur, dans la pâte.

Lorsque vous les déballez à la maison, les fromages à croûte fleurie n'ont pas le même aspect que dans la cave d'affinage. L'emballage aplatit le duvet formé par la moisissure. À mesure que le fromage vieillit, la pâte commence à se ramollir près de la croûte ; le cœur, que les Français appellent «âme du fromage», est la dernière partie du fromage à perdre sa consistance crayeuse.

Les autres fromages à pâte molle et certains fromages à pâte demi-dure sont lavés dans la saumure, le vin, la bière ou d'autres alcools ; le liquide sert de nourriture aux bactéries de surface. Ces fromages ont généralement une croûte caractéristique, de couleur rougeâtre, et un arôme très prononcé. Ils possèdent également une saveur assez piquante.

Les bleus, comme le stilton et le roquefort, mûrissent aussi de l'intérieur. La moisissure est introduite soit en même temps que la culture bactérienne, soit à l'étape du caillé. On perce les fromages en cours d'affinage avec de grandes aiguilles métalliques pour oxygéner l'intérieur ; l'oxygène nourrit la moisissure qui finit par produire les veinures bleues de la pâte.

ci-dessus : *pendant l'affinage, les fromages tels que le brie se recouvrent d'une croûte blanche duveteuse.*

Les tout premiers bleus étaient peut-être dus à une infestation microbienne accidentelle, phénomène qui se produit naturellement dans certains endroits bien spécifiques. Les caves d'affinage du roquefort, par exemple, abritent une moisissure particulière. Jusqu'à une période récente, on ne pouvait fabriquer du bleu que dans les endroits où se trouvaient ces moisissures. Aujourd'hui, il est possible de préparer des cultures et de les expédier dans le monde entier.

Malgré ces techniques modernes, la fabrication du bleu est plus complexe que celle des autres fromages. Le développement des moisissures à l'intérieur du fromage est imprévisible. Toutefois, le fromager peut retarder la croissance de la moisissure en scellant hermétiquement le fromage pour retenir l'air. Puis, au moment voulu, il perce le fromage pour laisser pénétrer l'air à l'intérieur et stimuler la création de veinures bleues.

Les fromages à pâte dure mûrissent également de l'intérieur. Ils nécessitent un temps de maturation beaucoup plus long que les fromages à pâte molle et sont conservés à des températures à peine plus élevées. Certains sont brossés et grattés ou frottés avec de l'huile. D'autres sont enveloppés dans des bandelettes de toile pour favoriser le développement des moisissures ; c'est ainsi que l'on affine le cheddar. Aujourd'hui, le cheddar produit en usine et dans de grandes laiteries artisanales est enveloppé de plastique avant de passer à l'affinage. Ainsi, le fromage est isolé de l'air ambiant et offre une saveur différente. Cependant, si le fromager connaît son travail, le fromage aura toujours un goût exquis.

Le temps de maturation influe sensiblement sur la texture et la saveur finales d'un fromage. Les cheddars affinés pendant six à huit mois n'ont pas le même goût que ceux qu'on a laissés mûrir de douze à dix-huit mois. La consistance peut également se modifier en cours d'affinage. Par exemple, si l'on introduit des ferments propioniques

ci-contre : *on frotte le fromage jusqu'à ce qu'il soit lisse, afin d'empêcher l'air de pénétrer et les moisissures de se développer.*

ci-dessus : *les bleus traditionnels se caractérisent par une consistance ferme et un arôme prononcé.*

dans la culture bactérienne, comme c'est le cas pour l'emmental, le fromage sera percé de bulles. La raison en est la suivante : ces bactéries se nourrissent d'acide lactique et rejettent du gaz carbonique qui disparaît en laissant des trous dans la pâte.

Les fromages à pâte dure sont retournés à intervalles réguliers en cours d'affinage, ce qui assure une maturation uniforme. Les producteurs vérifient également la couleur, l'odeur, la forme, la texture et même le son de leurs fromages ; un instrument spécial est employé pour contrôler les échantillons prélevés à l'intérieur du fromage.

La plupart des fromages sont affinés sur leur lieu de fabrication, mais certains sont achetés par des crémeries avant d'être à point. Ils sont ensuite stockés dans la cave d'affinage de la boutique et surveillés jusqu'à ce qu'ils aient atteint le degré de maturation requis.

Une fois le fromage prêt pour la table, celui-ci est vendu sur-le-champ ou bien enveloppé pour empêcher la perte de moisissures et les altérations physiques. On utilise du tissu, de la paraffine, du papier d'aluminium et du plastique, avec des degrés de réussite variables (le papier est sans doute un peu insuffisant pour éviter le dessèchement du fromage ; quant au plastique, il empêche le fromage de respirer et risque de le faire suinter).

Classification des fromages

*M*aintes tentatives ont été effectuées pour parvenir à une classification satisfaisante des fromages. Certains systèmes se fondent sur les processus de production, d'autres sur la texture de la pâte ou
le type de croûte, d'autres encore sur des critères olfactifs. En fait, il est
très difficile de classer les fromages sans devoir accumuler les listes d'exceptions. Les recettes sont si variées et nombreuses qu'un même fromage
peut très bien appartenir à plus d'une catégorie.

Voici trois méthodes de classification des fromages qui vous aideront
peut-être lorsque vous lirez les étiquettes ou que vous choisirez un fromage sur catalogue.

La texture du fromage

Cette indication fort utile, permettant de définir le type de fromage auquel
on peut s'attendre, est directement liée à la teneur en eau du fromage :
plus là pâte est molle, plus la teneur en eau est élevée. Bien sûr, il y a des
débordements. Les choses se compliquent, car le fromage perd de l'eau à
mesure qu'il vieillit. Certains fromages sont mous au moment de leur fabrication et durcissent en cours de maturation. Les petits fromages de chèvre
sont un bon exemple de ce phénomène.

PÂTE TRÈS MOLLE *(80 % d'eau)* : fromages qui se dégustent à la cuillère, dont
presque tous les fromages frais, excepté la feta.

PÂTE MOLLE *(50-70 % d'eau)* : fromages qui s'étalent, dont le brie, le camembert, le pont-l'évêque, le reblochon et le taleggio.

PÂTE DEMI-DURE *(40-50 % d'eau)* : fromages qui se coupent, à texture légèrement caoutchouteuse, dont le
tilsit, le gouda et le Port-Salut.

PÂTE BLEUE DEMI-DURE *(40-50 %
d'eau)* : fromages friables ou sou-
ples, les premiers étant difficiles à

ci-contre, à gauche : *les fromages à
pâte dure résultent d'une perte
d'humidité pendant l'affinage.*

ci-contre : *fromages à croûte lavée.*

couper, dont le roquefort, le stilton et le bleu d'Auvergne.

Pâte dure *(30-35 % d'eau)* : fromages fermes et très légèrement friables, fermes et un peu caoutchouteux, ou très fermes et denses, dont le cheddar et le lancashire (ferme et friable), le gruyère et l'emmental (ferme et un peu caoutchouteux), le parmesan et le pecorino vieux (très ferme et dense).

Les croûtes du fromage

La croûte d'un fromage contrôle le cheminement de l'eau de l'intérieur vers l'extérieur ainsi que l'entrée d'air dans le fromage. Elle assure également une régulation des rejets de gaz du fromage.

Les croûtes fleuries. On n'empêche pas la moisissure blanche de se développer sur les fromages à maturation rapide. La croûte n'est généralement pas très épaisse et peut se consommer. Dans d'autres cas, la moisissure est brossée de temps à autre afin d'obtenir une croûte plus épaisse, également comestible. La moisissure est de couleur blanche lorsqu'elle est récente, mais elle fonce avec l'âge. Elle ne doit pas s'altérer de marques jaunes, noires ou vertes. Dans cette catégorie, on trouve le brie, le camembert et le coulommiers.

Les croûtes lavées. Ces croûtes ont une couleur rouge orangé caractéristique. Elles sont douces et moites au toucher, sans être suintantes ; elles ne se mangent pas. Parmi les fromages à croûte lavée, on trouve le pont-l'évêque, le taleggio, le livarot, le limburger käse et le mahón.

Les croûtes naturelles sèches. Ces croûtes sont produites par le séchage du caillé en surface ; on peut les gratter ou les brosser, ou les envelopper de toile pour les rendre grenues, ou encore les huiler pour les rendre lisses et brillantes. Elles sont généralement dures et épaisses, et des moisissures se développent parfois sur les plus rugueuses. En général, elles ne se mangent pas. Dans cette catégorie, on trouve le stilton (brossé), le cheddar (bandé) et l'emmental (huilé).

LES CROÛTES ORGANIQUES. À base d'herbes ou de feuilles pour certaines, elles sont ajoutées par le fromager après l'affinage. Dans cette catégorie, on trouve certains fromages de chèvre (herbes) et le banon (feuilles).

LES CROÛTES ARTIFICIELLES. À base de cendre, de matière plastique ou de paraffine, elles sont également ajoutées par le fromager. Dans cette catégorie, on trouve certains fromages de chèvre (cendre), l'édam (paraffine) et quelques cheddars (plastique).

Les processus de fabrication

LE FROMAGE FRAIS. Il ne subit aucun affinage, ou seulement pendant quelques jours. Certains fromages frais sont légèrement pressés ou moulés, d'autres sont simplement conditionnés dans des pots. Dans cette catégorie, on compte : le caillé, le quark, le mascarpone, la feta et le fromage blanc.

LE FROMAGE AFFINÉ NON PRESSÉ. Les caillés sont divisés le moins possible afin d'obtenir un égouttage spontané. On peut les soumettre à un affinage rapide et les saupoudrer de moisissure ou de bactéries, ou à un affinage lent d'une durée de un à trois mois avec adjonction de cultures bactériennes. Dans cette catégorie, on trouve : le brie, le camembert et le pont-l'évêque (moisissure de surface ou bactéries), l'esrom et le stilton (culture bactérienne).

ci-dessus : *l'emmental, un fromage à pâte cuite.*

LE FROMAGE AFFINÉ PRESSÉ. Ces fromages sont légèrement ou fortement pressés avant de passer en cave d'affinage, où ils séjournent de deux à dix-huit mois. Dans cette catégorie, on trouve : le cheddar, le manchego et le montasio.

LE FROMAGE CUIT, PRESSÉ ET AFFINÉ. Les caillés sont chauffés ou « cuits » dans le petit-lait avant d'être broyés, moulés et fortement pressés. Leur affinage peut durer jusqu'à quatre ans. Dans cette catégorie, on trouve : le gouda, le parmesan, le gruyère et l'emmental.

LE FROMAGE À PÂTE FILÉE. Après la cuisson, les caillés sont pétris et étirés avant d'être façonnés. On peut manger le fromage tel quel, ou le laisser vieillir. Dans cette catégorie, on trouve : la mozzarella (fraîche) et le provolone (affiné).

Comment apprécier le fromage

Dans un monde idéal, chacun achèterait chaque jour sa ration quotidienne de fromage. Pour encourager cette pratique, les crémeries s'efforcent de proposer des fromages en excellente condition et de les maintenir ainsi jusqu'à ce qu'ils soient vendus ou jetés. Malheureusement, la majorité des amateurs de fromage font leurs courses à un rythme non pas quotidien mais plutôt hebdomadaire. Cependant, si vous souhaitez servir du bon fromage à vos invités, ou simplement, si vous aimez le bon fromage, essayez de l'acheter le jour où vous allez le consommer et privilégiez les boutiques qui ont une réelle connaissance du fromage.

Les meilleurs fromages fermiers du monde ont maintenant presque tous leurs versions laitières, de fabrication industrielle. Celles-ci n'ont pas du tout le même goût, et vous êtes en droit de connaître l'historique du fromage que vous achetez. Bien sûr, il y a des exceptions, et certains fromages de fabrication industrielle sont excellents – je pense notamment à certains cheddars de Nouvelle-Zélande et aux provolones américains.

Au fil des ans, les pays producteurs ont mis en place un système d'appellations d'origine – AOC en France, DOC en Italie – qui protège les noms de leurs meilleurs fromages. Ces fromages doivent provenir de régions spécifiques et être fabriqués selon des recettes traditionnelles. La plupart d'entre eux sont maintenant protégés par le système de dénomination des origines de l'Union européenne. Les fromages ainsi protégés portent des étiquettes sur lesquelles figurent un logo approprié ; lisez-les si vous y pensez.

Cependant, il est important de se rappeler que le système de dénomination des origines ne garantit pas la qualité d'un fromage donné. Il y aura toujours de bons et de mauvais producteurs, artisanaux ou industriels. Discutez avec votre marchand de fromages et questionnez-le sur les origines de tel ou tel fromage que vous souhaitez acheter. Même si vous le destinez à la cuisine, choisissez un fromage de bonne qualité, vous confectionnerez ainsi un mets plus savoureux.

Vous pouvez également rechercher une référence géographique ou un certificat d'authenticité, s'il s'agit d'un fromage originaire d'une région donnée ou fabriqué selon des méthodes traditionnelles spécifiques.

Les fromages AOC

Voici une liste de tous les fromages cités dans le répertoire des fromages qui bénéficient d'une appellation d'origine contrôlée ou AOC.

* désigne les fromages qu'il est interdit d'importer aux États-Unis.

BELGIQUE

Herve

ESPAGNE

Cabrales, idiazábal, mahón, manchego, picón

FRANCE

Beaufort, bleu d'Auvergne, bleu de Gex, bleu des Causses, brie de Meaux, brie de Melun*, camembert de Normandie*, cantal, chabichou du Poitou, chaource, comté, crottin de Chavignol, époisses*, fourme d'Ambert, fourme du Cantal, langres*, livarot, maroilles, munster, ossau-iraty-brebis-Pyrénées, picodon de l'Ardèche*, pont-l'évêque, pouligny-saint-pierre, reblochon, roquefort, saint-nectaire, sainte-maure de Touraine, selles-sur-cher, vacherin mont-d'or*

GRÈCE

Feta, kefalograviera

ITALIE

Asiago, caciocavello, fontina, gorgonzola, grana padano, mozzarella di bufala, parmiggiano reggiano, pecorino romano, pecorino sardo, pecorino siciliano, pecorino toscano, provolone, robiola di Roccaverano, taleggio

PAYS–BAS

Noor-hollandse edam, gouda

ROYAUME–UNI

Bonchester, gloucester simple, swaledale, blue stilton, West Country Farmhouse Cheddar, white stilton

SUISSE

Appenzell, emmental, gruyère, sbrinz, raclette, sapsago, tilsit suisse, tête-de-moine, vacherin fribourgeois

L'étape suivante consiste à utiliser sa vue et son odorat pour apprécier la condition du fromage. Le fromage doit sentir bon. Les fromages qui dégagent une forte odeur ammoniacale sont trop faits. Bien sûr, certains aiment les camemberts très odorants même s'ils sont effectivement trop faits. Les fromages à croûte lavée exhalent un très fort arôme de terroir, ce qui est tout à fait normal pour ce genre de fromage. Leur goût est rarement aussi prononcé si l'on retire la croûte.

Si vous aimez les fromages relevés, choisissez parmi ces variétés françaises : époisses, maroilles, munster, langres, livarot, camembert, chaumes.

Le fromage doit aussi avoir bel aspect. Il ne doit pas suinter, ni présenter de gouttes de graisse. Il ne doit pas non plus être trop compact. Tout cela résulte de défauts de fabrication, d'un excès de chauffage ou de réfrigération. Les surfaces exposées doivent avoir un aspect frais. Les surfaces craque-

ci-dessus : *camembert.*

lées, dures ou couvertes d'une légère moisissure indiquent que le fromage est resté sans protection et non coupé pendant au moins une journée.

Les fromages très mûrs risquent de se crevasser. À moins que vous n'aimiez l'odeur d'ammoniac, mieux vaut éviter d'en acheter. Il est faux de penser que plus les fromages sont vieux, meilleur est leur goût. Comme le vin, chaque fromage a un âge idéal où il est au meilleur de sa forme. Passé ce cap, il commencera à se dégrader.

Si vous avez la possibilité de goûter, commencez par penser à la nature du fromage. Est-il frais et doux, ou plus mûr et acidulé ? Est-il riche et crémeux, ou ferme et élastique ? Est-il très ou peu salé ? Il convient aussi de connaître les caractéristiques gustatives de chaque fromage, sans oublier que les fromages très fermes ou caoutchouteux exigent d'être mastiqués plus longtemps avant de développer leur saveur profonde.

En matière de fromage, le spectre gustatif est étonnamment large, et vous vous trouverez confronté à un riche éventail de saveurs. Parmi les qualificatifs communément employés, on trouve butyreux, lacté, crémeux, noiseté, ou même citronné. D'autres saveurs évoquent le lait concentré, le caramel, les amandes fraîches, l'herbe mouillée, le sous-bois, les moisissures et bien d'autres choses encore. Mais avant tout, il est essentiel de savoir quel type de fromage vous aimez !

La plupart des bons fromages ont une saison de prédilection qui les voit au mieux de leur forme. Cela est lié à la disponibilité du lait, à la qualité du pâturage et à la période optimale d'affinage pour le fromage. En règle générale, le meilleur lait est produit par les animaux qui paissent en été et au début de l'automne, saisons où les herbes, les fleurs et les trèfles foisonnent. La durée de l'affinage déterminera l'époque idéale à laquelle acheter votre fromage. Ainsi, le brie de Meaux fait avec du lait cru nécessite un ou deux mois de maturation et sera excellent en septembre, octobre et début novembre. En revanche, les fromages alpins, comme le gruyère et le comté, demandent quatre ou cinq mois d'affinage ; il est donc préférable de les acheter en janvier ou en février.

Comment servir le fromage

On peut servir le fromage à n'importe quel repas. En Europe, la coutume veut que le fromage soit servi comme un plat à part entière, à la fin du repas, mais rien ne vous empêche de composer un repas uniquement avec des fromages. En Suisse et aux Pays-Bas, le fromage est servi au petit déjeuner ; en Espagne et en Grèce, il entre dans la composition des tapas ou des mézès servis à l'apéritif ou en hors-d'œuvre. Une tranche de fromage et une pomme font un succulent en-cas à n'importe quel moment de la journée.

ci-dessus : *lorsque vous recevez des invités à déjeuner ou à dîner, choisissez un assortiment de fromages susceptibles de plaire à tous.*

Quand on reçoit, on prévoit souvent un plateau de fromages. Selon les pays, on les sert avant ou après le dessert. En Grande-Bretagne, le fromage était traditionnellement servi à la fin du repas, parce qu'il était accompagné de porto et que les médecins pensaient que le fromage « fermait » l'estomac. En Europe continentale, le fromage se sert après le plat principal et avant le dessert. Cela permet de l'accompagner de vin rouge sans que le goût sucré du dessert ne vienne gâter le palais.

Le fromage se sert toujours à température ambiante et ne se consomme surtout pas dès sa sortie du réfrigérateur ; certains pensent même que le fromage n'a rien à faire au réfrigérateur, ce qu'il est difficile d'éviter sauf si vous disposez d'une cave ou d'un garde-manger. Si le fromage a séjourné au réfrigérateur, laissez-lui le temps de se réchauffer. Comptez environ une heure, ou même plus pour une grosse part de fromage à pâte dure – tout dépend de la température de la pièce.

ci-dessus : *de haut en bas, un ustensile à trancher le fromage ou coupe-copeaux et un couteau à fromage.*

La découpe du fromage relève d'un certain art ; pour cela, il est utile de posséder les ustensiles adéquats. Le fil à couper le beurre, fréquemment employé par les fromagers, donne une coupe nette. Il est possible d'en acheter un petit pour l'usage ménager.

Il existe des couteaux à fromage de toutes les formes et tailles, le plus souvent munis d'une lame dentelée ainsi que d'une pointe incurvée et fourchue destinée à piquer les morceaux de fromage coupé. Le meilleur modèle est de grande taille avec une lame large à gros trous : il permet de découper sans les écraser de grands fromages à pâte molle, ainsi que les fromages friables. Un coupe-copeaux est idéal pour détailler en tranches fines les fromages à pâte demi-dure.

C'est la forme du fromage qui détermine la manière dont il doit être découpé. Les petits fromages ronds, comme le banon, doivent être coupés en deux. Toutefois, ne coupez pas les fromages mous ronds ou carrés par le milieu, mais plutôt en parts triangulaires, comme un gâteau. Les fromages de forme conique et les bûches doivent être tranchés. Les fromages petits et gros de forme cylindrique doivent être détaillés d'abord en disques, puis en quartiers comme un gâteau. C'est ainsi qu'il convient de couper un stilton, mais beaucoup sont encore adeptes de l'ancienne mode qui consiste à décalotter le fromage et à se servir à la cuillère.

ci-dessus : *un petit fromage rond à pâte molle, coupé comme un gâteau.*

Il est important que toutes les parts, chez le crémier ou à la maison, soient coupées de telle manière que chacun des convives ait une portion allant de la croûte au cœur.

Les fromages grenus, comme le parmesan et le grana padano, ne se coupent pas au couteau, et seul un outil spécial à large lame permet de briser le fromage en morceaux.

Le choix du pain ou des crackers pour accompagner le fromage dépendra du moment où celui-ci va être servi. Le fromage doit être la star du mets, il sera donc recommandé de choisir un pain croustillant ou des crackers nature, des galettes d'avoine ou de froment.

Ploughman's lunches

Voici quelques idées pour préparer des versions insolites de ce repas typiquement britannique servi dans les pubs et généralement composé

Du *cheddar anglais* avec de la moutarde à l'ancienne et des bananes.
Du *caboc écossais* avec des galettes d'avoine et des framboises.
Du *cheddar de Nouvelle-Zélande* avec des pommes et de la sauce aux canneberges.
Du *gloucester double* avec des olives et de la purée de tomates séchées.
Du *bleu danois* avec du raisin et des noix (voir page ci-contre)
Du *stilton* avec du chutney de mangue et du cresson.

de fromage, de pain et de salade, qui s'apparente à un en-cas ou à un repas léger.

Le pain est l'accompagnement idéal pour ces fromages. Servez un bon pain croustillant ou laissez choisir vos convives en mettant sur la table un assortiment de pains. Il est amusant aussi d'assortir le pain à la nationalité du fromage : vous pouvez servir des ciabatta ou des focaccie (pains italiens) avec les fromages italiens, des baguettes fraîches et croustillantes avec des fromages français et du pain noir avec les fromages allemands.

On sert souvent du céleri, du raisin et de la pomme avec le fromage, mais toutes les variétés de fruits crus font d'excellents partenaires. Servez des poires avec du gorgonzola, des noix avec du roquefort, des graines de carvi avec du munster et des fèves avec du pecorino – spécialité toscane du début de l'été. Dans le Yorkshire, dans le nord de l'Angleterre, le wensleydale est souvent servi avec de la tarte aux pommes ou du cake, ou bien utilisé en pâtisserie.

Le plateau de fromages

Il est tentant d'acheter un large assortiment de fromages alléchants pour un buffet «vins et fromages» ou pour un repas de cérémonie. Mais, une fois à la maison, cette diversité ne vous paraîtra peut-être plus aussi satisfaisante. Quelques fromages sélectionnés avec soin composent un ensemble parfois mieux adapté à la circonstance qu'un éventail de nombreux fromages choisis au hasard.

Que vous proposiez plusieurs fromages ou un seul, il est conseillé de tenir compte des plats précédents. Servez de préférence les fromages riches après des viandes rôties ou grillées, alors que les fromages de chèvre secs et les fromages anglais traditionnels suivront volontiers des plats plus copieux. Les fromages jeunes et frais sont parfaits après les mets épicés.

La couleur, la texture et l'arôme ont un rôle important à jouer dans la composition d'un plateau de fromages bien équilibré. Une sélection de fromages identiques en couleur et en texture ne présentera pas autant d'attrait qu'un assortiment privilégiant la variété et la fantaisie. Résistez à la tentation de choisir uniquement les fromages que vous aimez ; tout le monde n'apprécie pas les fromages doux à pâte molle ou les fromages relevés à croûte lavée.

Excepté s'il s'agit d'un buffet, évitez de disposer les fromages sur un plateau trop grand ou trop lourd pour être passé d'un convive à l'autre. Prévoyez plusieurs couteaux à fromage, en particulier s'il y a plusieurs fromages à pâte molle qui risquent de coller à la lame.

Sinon, coupez le fromage à l'avance et servez à chaque invité une assiette avec un échantillon de chaque fromage. Cette méthode est souvent adoptée par les restaurants qui rechignent à laisser le plateau en libre service. Elle présente l'inconvénient de ne pas laisser à chacun le libre choix de ses fromages.

Suggestions pour plateaux de dégustation

Vous pouvez vous amuser, avec un groupe d'amis, à goûter des fromages du monde entier. Commencez par comparer les fromages de chaque pays producteur, puis composez des plateaux avec les fromages que vous préférez.

PLATEAU DE DÉGUSTATION FRANÇAIS CLASSIQUE
Comté, brie de Meaux, chèvre, pont-l'évêque, roquefort

PLATEAU DE DÉGUSTATION FRANÇAIS ORIGINAL
Bleu d'Auvergne, valençay, Explorateur, époisses, tomme de Savoie, banon

PLATEAU DE DÉGUSTATION SUISSE
Appenzell, emmental, sapsago, tête-de-moine, vacherin mont-d'or

PLATEAU DE DÉGUSTATION ITALIEN
Fontina d'Aoste, gorgonzola, parmigiano reggiano, robiola, taleggio

PLATEAU DE DÉGUSTATION ANGLAIS CLASSIQUE
Duckett's caerphilly, lancashire fermier, cheddar vieux, stilton, wensleydale

PLATEAU DE DÉGUSTATION BRITANNIQUE FERMIER
Cotherstone, milleens, ragstone, sharpham, ticklemore

PLATEAU DE DÉGUSTATION AMÉRICAIN
Capriole banon, bleu maytag, cheddar de Shelburne au lait cru, jack de Vella's Bear Flag

En revanche, un buffet de fromages nécessite des efforts de présentation et beaucoup d'imagination. Pour remplacer le plateau classique, pensez aux pavés de marbre, aux tuiles en céramique ou aux plateaux en osier.

ci-dessus : *un plateau de dégustation français original.*

Décorez votre plateau ou buffet avec des herbes aromatiques

fraîches, des fleurs des champs, des feuilles de salade, des fruits rouges, des fleurs de légumes, des feuilles de vigne, des noix ou des noisettes et des fleurs séchées.

Couvrez les plateaux prêts à servir avec du film plastique transparent, du papier d'aluminium ou une cloche en verre, ainsi le fromage restera frais pendant une heure ou deux. Si vous laissez le fromage sous cloche pendant une période plus longue, mettez un morceau de sucre sur le plateau pour absorber l'humidité dégagée par le fromage. Pour conserver du fromage plus longtemps, mettez-le dans le compartiment le moins froid de votre réfrigérateur – dans les portes ou dans le bac à légumes par exemple. Les réfrigérateurs sont souvent beaucoup trop froids pour la plupart des fromages ; l'idéal serait de les stocker dans une cave ou un garde-manger dont la température ambiante serait de 10 °C environ.

Protégez le fromage en l'enveloppant dans du papier d'aluminium ou du papier sulfurisé, ou mettez-le dans une boîte en plastique munie d'un couvercle hermétique. Toutes ces méthodes permettent aux fromages de respirer et, si nécessaire, de poursuivre leur développement. Le film plastique transparent est utile pour conserver la plupart des fromages pen-

ci-dessus : *enveloppé dans du papier sulfurisé, le fromage se conserve un certain temps.*

dant une brève période. Ne le laissez pas trop longtemps, car la croûte commencera à suinter et la pâte risquera de transpirer. Assurez-vous que le film plastique adhère bien à la partie exposée d'un fromage à pâte molle, cela l'empêchera de couler. N'enveloppez pas plus d'un seul morceau de fromage dans le même papier, sinon les arômes se mélangeront.

Si vous disposez d'un endroit pour stocker vos fromages à une température correcte, couvrez les parties exposées de la pâte avec du papier sulfurisé et enveloppez-les dans une étamine, un torchon propre ou du papier. Les fromages à pâte molle peuvent être conservés dans leur boîte d'origine, mais dans de nouveaux emballages. La plupart des logements sont trop secs pour conserver le fromage dans les règles de l'art, mais si vous devez conserver un fromage entier, il est recommandé de bien l'envelopper et de le mettre dans une boîte en carton.

Les temps de conservation varient selon les variétés de fromages. Les pâtes molles ne se gardent pas bien, mais les pâtes demi-dures ou dures se conservent pendant un certain temps.

Il est certainement très intéressant d'acheter de grosses pièces d'emmental ou de parmesan. Coupez-les en portions utilisables avant de les stocker, de façon à ne pas exposer le morceau entier à la température ambiante avant usage. Le parmesan se garde pendant des semaines au réfrigérateur. Il n'est pas conseillé de congeler du fromage. Les pâtes molles perdent leur arôme et les pâtes dures deviennent friables.

Ne jetez pas le fromage que vous avez conservé trop longtemps ou dans de mauvaises conditions. Essuyez les gouttes de graisse d'un fromage qui transpire ou coupez l'entame pour exposer une face nette. S'il est trop sec, débitez-le en lamelles et utilisez-le pour garnir des toasts ou dans des plats cuisinés. On peut faire ramollir certains fromages à pâte dure pour la cuisine, en les enveloppant pendant une brève période dans un torchon trempé dans du vin blanc.

L'association vin-fromage

Le fromage semble avoir une affinité particulière avec le vin. Les deux saveurs peuvent se compléter divinement. Deux courants de pensée s'affrontent sur le sujet : certains suggèrent simplement de boire avec le fromage le vin que l'on préfère, d'autres estiment que certaines associations vin-fromage ne conviennent pas du tout et que les deux méritent d'être mariés avec un soin extrême. En pratique, le premier courant a tendance à prédominer, mais si vous avez le temps, vous augmenterez votre plaisir de déguster du fromage en trouvant les meilleures associations possibles.

ci-dessus : *cabrales et vin rouge.*

Par tradition, le vin rouge est considéré comme le meilleur accompagnement pour le fromage, et cela se vérifie souvent. Cependant, les vins blancs – et surtout les vins blancs doux – sont parfois meilleurs. Commencez par choisir un vin et un fromage de caractère identique. Un vin jeune et frais comme le beaujolais se mariera bien avec un fromage jeune et frais comme le pecorino fresco ou un petit banon. Cependant, un barolo à point accompagnera à merveille un provolone très affiné.

Un vin parfumé et corsé (comme le rioja espagnol ou le shiraz australien) est idéal pour accompagner des fromages tels que le maroilles, le gaperon et le cabrales. La teneur du vin en tanin et son acidité affectent l'association vin-fromage. Les vins très acides s'allient à merveille avec les fromages doux et crémeux, alors que ces mêmes fromages peuvent faire paraître les vins tanniques très secs. Le cheddar, quant à lui, supporte bien les vins forts en tanin. Rappelez-vous toutefois que le vin et le fromage ne sont pas des produits figés. Tous deux changent avec le temps, et un vin qui se marie bien avec un cheddar jeune ne sera peut-être pas excellent avec un fromage de dix-huit mois.

Très souvent, les associations sont suggérées par la région d'origine du fromage ; les vins de la même région sont en affinité évidente avec celui-ci. Ainsi, on tentera des alliances fromage-vin blanc : du sancerre avec les petits fromages de chèvre de la Haute-Loire et du gewurztraminer avec du munster.

Les vins blancs doux s'associent d'instinct avec certains bleus ; on boira volontiers du sauternes sur le roquefort et du porto sur du stilton.

ci-dessus : *ragoût de haricots secs au cheddar.*

La cuisine au fromage

Certains fromages, comme le gruyère, le parmesan et la mozzarella, se prêtent volontiers à un usage culinaire, soit à cause de leur excellent arôme, soit du fait de leur texture, jugée appropriée par le cuisinier. Cependant, d'autres fromages qui ne sont pas traditionnellement associés à la cuisine, comme les bleus et le fromage de chèvre, donnent également des résultats satisfaisants.

ci-dessus : *hamburgers de dinde nappés d'une sauce au bleu.*

Le secret de la cuisine au fromage consiste à se garder des excès de cuisson. Si possible, faites cuire le fromage à feu très doux ou bien ajoutez-le en fin de cuisson. Au-dessus d'une certaine température, la protéine du lait (caséine) se coagule et se divise pour former un amas dur et filandreux.

Cette tendance se réduit si le fromage est mélangé à un féculent – farine ou chapelure. Les fromages à pâte dure, très affinés, tolèrent des températures plus élevées que les fromages à pâte molle, car une grande partie des protéines s'est transformée en substances moins riches. La fondue, que l'on continue de faire bouillonner sur la table, fonctionne bien parce que les alcools servant à aromatiser le plat permettent de garder le fromage en dessous de sa température de coagulation. Pour être incorporés à un mets, les fromages doivent être de préférence débités en lamelles ou en cubes, ou bien râpés. Pour cuisiner certains plats, il est important de tenir compte de la saveur plus ou moins piquante du fromage. Si vous cuisinez avec du bleu, rappelez-vous que son arôme s'intensifie avec la chaleur. Cela ne semble pas être le cas du fromage de chèvre, qui perd son odeur de moisi caractéristique.

Fromage et nutrition

Le fromage est un aliment excellent qui a souffert d'une mauvaise presse ces dernières années, à cause de sa forte teneur en matières grasses et du cholestérol qu'il renferme. En fait, le fromage n'est pas aussi gras qu'on le pense, et, consommé avec modération, rien ne s'oppose à ce qu'il fasse partie intégrante d'une alimentation saine et équilibrée.

Le fromage est une source importante de calcium ; quelques grammes de fromage suffisent à satisfaire de nombreux besoins nutritionnels. Le fromage renferme également des vitamines A et D solubles dans les graisses, ainsi que du complexe vitamine B et de la vitamine E. Les fromages à faible teneur en calories, à base de lait écrémé, contiennent moins de vitamines solubles dans la graisse, en particulier la vitamine A. Le sodium et le phosphore sont aussi présents dans le fromage, en petite quantité. Le phosphore, qui s'associe au calcium pour fortifier les os et les dents, est indispensable à la production d'énergie.

Le fromage est composé d'eau, de matières grasses et de protéines. Les matières grasses, acides gras saturés (environ 60 pour cent) et acides gras insaturés, ne sont pas majoritaires ; l'eau est bien plus présente. Pourtant, le taux de matières grasses du fromage est calculé sur la base du poids sec. Ainsi, le chiffre de 45 pour cent qui figure sur l'étiquette du camembert et de l'emmental, par exemple, fait référence à la teneur en matières grasses de ces fromages après évaporation de la totalité de l'eau. Ce pourcentage est plus exactement indiqué sous les initiales IDM (in dry matter) aux États-Unis ou «matière grasse» (m.g.) en Europe. En règle générale, la véritable teneur en matière grasse d'un fromage étiqueté à 45 pour cent IDM ou m.g. se calcule en divisant ce chiffre par deux, ce qui donne 22,5 pour cent.

Toutefois, l'emmental présente un taux réel de matières grasses plus élevé que le camembert, car il contient moins d'eau. Cela signifie que si vous consommez une même quantité de ces deux fromages, les fromages plus «crémeux», comme le camembert, sont moins riches en calories et font moins grossir que les fromages très fermes, comme l'emmental.

Le fromage offre une solution intéressante pour remplacer la viande et la volaille ; il ne renferme peut-être pas autant de protéines, mais celles-ci sont directement assimilables par l'organisme – environ 70 pour cent, contre 67 ou 68 pour cent pour la viande et la volaille.

Certaines personnes diminuent leur consommation de fromage parce qu'elles pensent ne pas tolérer le lactose. Pourtant, la majorité du lactose du lait part avec le petit-lait lors de la fabrication. Il en résulte que de nombreux fromages affinés renferment 95 pour cent de lactose de moins que le lait entier à partir duquel ils sont élaborés.

ci-dessus : *servi avec des noix et des fruits, le fromage, riche en protéines, constitue un en-cas sain et nourrissant.*

deuxième partie

Répertoire des fromages

Appenzell	Gruyère
Asiago d'Allevo	Gubbeen
Austrian smoked cheese (Fromage	Haloumi
fumé autrichien)	Havarti
Babybel	Idiazábal
Banon	Jack
Bavarian Blue (Bleu de Bavière)	Kefalotiri
Beaufort	Lanark Blue
Beenleigh Blue	Lancashire
Bel Paese	Langres
Bleu d'Auvergne	Le Brouère
Bleu de Bresse	Leicester
Bleu de Gex	Leiden
Bonchester	Limburger käse
Boursault	Livarot
`Boursin	Mahón
Brie	Manchego
Brillat-savarin	Maroilles
Brin d'amour	Maytag
Cabrales	Milleens
Caerphilly	Mimolette
Camembert	Morbier
Cantal	Mozzarella
Cashel Blue	Munster
Cave cheese	Ossau-iraty-brebis Pyrénées
Chabichou du Poitou	Parmigiano reggiano
Chaource	Pecorino
Cheddar	Picodon
Cheshire	Pont-l'évêque
Chèvre	Port-Salut
Colby	Provolone
Comté	Pyrénées
Cornish Yarg	Raclette
Cottage cheese (fromage blanc)	Reblochon
Coulommiers	Ricotta
Crottin de Chavignol	Robiola
Dales	Roquefort
Danish blue	Sainte-maure
English Hard Goat's Cheese	Saint-nectaire
Edam	Samsø
Emmental	Sapsago ou Schabzeiger
Époisses	Sbrinz
Esrom	Selles-sur-cher
Explorateur	Shropshire blue
Feta	Stilton
Fontina	Taleggio
Fourme d'Ambert	Tête-de-moine
Fromage blanc	Tetilla
Gaperon	Tilsit
Gjetost	Tomme de Savoie
Gloucester	Vacherin fribourgeois
Gorgonzola	Vacherin mont-d'or
Gouda	Valençay
Grana padano	Wensleydale

Chaource
Hugerot

Appenzell

Est de la Suisse

$\mathcal{C}$e fromage fruité était fabriqué artisanalement par des familles possédant des chalets d'alpage dans les cantons de l'est de la Suisse, près de l'Autriche. Aujourd'hui, la production est également centrée autour des villes de Saint-Gall, Thurgau et Zürich.

L'appenzell est un fromage de montagne à pâte dure destiné à être conservé pendant tout l'hiver. Il ressemble un peu au gruyère, avec une saveur plus prononcée, et il est peut-être plus intéressant pour ce qui est de l'arôme. Il présente une couleur fauve caractéristique qui résulte d'un brossage continuel avec un mélange d'épices, de vin et de sel.

Les fromages se présentent sous forme de meules de 8 cm d'épaisseur environ, de différents poids. La pâte a une jolie couleur de beurre, régulièrement ponctuée d'yeux de la taille d'un petit pois. Les fromages fermiers comptent un grand nombre de ces yeux, mais les grands fromages de laiterie n'en ont pas toujours autant.

L'appenzell a un arôme piquant et un goût fruité particulier qui s'attarde sur le palais. C'est un fromage complexe, excellent pour faire des casse-croûte d'hiver. Servez-le avec un pain complet croustillant ou du pain au levain et du beurre doux.

Les Suisses le coupent en tranches fines à l'aide d'un coupe-copeaux et le servent avec des fruits ou des salades. Ils font également des beignets extrêmement goûteux avec une pâte à base d'œufs, de bière et de lait. C'est un fromage très polyvalent car on peut aussi le faire fondre dans des gratins, des sauces et des fondues.

L'appenzell est fait avec du lait entier cru. Le caillé, obtenu après adjonction de présure au lait, est grossièrement rompu et cuit à feu doux avant d'être moulé. Il est ensuite placé dans des caves fraîches à fort pourcentage d'humidité et frotté régulièrement. L'affinage dure de trois à cinq mois, un peu plus pour l'appenzell extra.

Une étiquette à l'effigie d'un ours garantit l'authenticité de l'appenzell. Ce symbole appartient au blason du canton d'Appenzell, région d'origine de la majorité de ces fromages.

VARIANTE

Rasskass : fait avec du lait écrémé, et affiné pendant beaucoup plus longtemps que l'appenzell ordinaire, ce fromage a une couleur plus foncée et un goût plus prononcé. Il porte une étiquette spéciale noir et or.

Alte Maa

Servi avec une salade composée, ce plat simple fait un bon souper. Disposez des tranches de pain bis rassis d'un jour dans un plat creux avec de l'appenzell et assaisonnez. Versez un peu de lait par-dessus et laissez reposer pendant environ une heure, jusqu'à ce que le pain ait absorbé le lait. Transférez dans une sauteuse et aplatissez bien. Faites frire des deux côtés pendant 5 ou 6 minutes, jusqu'à ce que la galette soit dorée et croustillante.

RECETTE

lait	lait de vache non pasteurisé
variété	fromage à pâte dure, cuite et pressée, croûte lavée
mat. grasse	45 %
affinage	de 3 à 5 mois
saveur	modérée à forte
vin	syrah ou shiraz corsé

Asiago d'Allevo

Nord-est de l'Italie

*O*n fabrique du fromage sur le haut plateau d'Asiago, dans le nord-est de l'Italie, depuis plus de mille ans – il est vrai cependant que jadis le lait provenait des brebis et non des vaches. La production se concentre désormais dans les provinces de Vicence et de Trente, et dans quelques contrées des provinces de Padoue et de Trévise.

L'asiago d'Allevo se présente sous forme de grandes meules plates mesurant de 30 à 36 cm de diamètre. Il présente une croûte gris-jaune et une pâte couleur de paille (élastique, elle se coupe cependant sans difficulté ; elle est percée de nombreux petits yeux). Il possède une saveur agréablement noisetée avec un arrière-goût de citron. À mesure que le fromage vieillit, la pâte durcit et le goût devient plus prononcé et acidulé.

Servez le fromage jeune sur un plateau de fromages avec du pain italien. Plus vieux, râpez-le sur de la polenta, des pâtes ou de la soupe, ou incorporez-le au risotto (spécialité de la région de Padoue). Nul besoin d'en mettre une grande quantité, car sa saveur est pénétrante. L'asiagio est fabriqué avec du lait de vache qui repose de six à douze heures dans de petites cuves avant d'être écrémé.

ci-dessus : *gratin de pâtes à l'asagio.*

[54]

Il arrive parfois que le fabricant utilise le lait de deux traites différentes. Dans ce cas, seul le premier est écrémé ; on obtient ainsi un fromage plus riche en matières grasses.

Après avoir chauffé le lait et éliminé le petit-lait, on met le caillé dans des moules en bois spéciaux appelés *fascere*, puis dans des moules en plastique frappés au label de la DOC. Les fromages sont ensuite immergés dans la saumure et affinés de trois à cinq mois.

VARIANTES

Asiago vecchio et stravecchio : ces fromages sont restés respectivement neuf mois et deux ans en cave d'affinage. Avec le temps, leur saveur devient plus prononcée.

Asiago pressato : c'est un asiago beaucoup plus commercial, élaboré dans les laiteries de plaine et destiné à l'exportation. Ce fromage est fait avec du lait entier pasteurisé – sa teneur en matières grasses est donc plus élevée que celle de l'asiago d'Allevo. La pâte est pressée, ce qui explique son temps d'affinage très bref. Elle est légèrement caoutchouteuse, avec quelques trous, et offre une saveur très douce.

Asiago américain : aux États-Unis, la Vella Cheese Company de Californie et la BelGioioso Auricchio Cheese Inc. du Wisconsin produisent de bonnes versions de ce fromage. Les autres variantes américaines ressemblent moins à l'asiago qu'au provolone. L'asiago est une expérience nouvelle pour la Vella Cheese Company, mais le fromage obtenu est riche, fruité et peut-être un peu plus doux que celui fabriqué par la BelGioioso. Pour les deux fromages, le temps d'affinage est de six à douze mois.

lait	lait de vache écrémé non pasteurisé
variété	pâte dure, cuite, croûte lavée
mat. grasse	30 %, parfois 45 % (pressé)
affinage	3 à 5 mois
saveur	modérée à forte
vin	chardonnay bien parfumé

Fromage fumé autrichien

Autriche

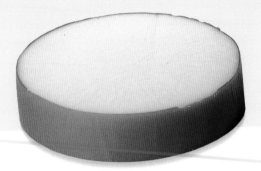

$\mathcal{C}$e fromage fumé fondu se présente sous emballage plastique en forme de saucisse, de différentes tailles. Sa pâte est très dense, de couleur pâle et de texture caoutchouteuse. Il résulte du mélange de gruyère jeune et de fromages de type emmental. Servez-le avec d'autres fromages ou seul, avec des bâtonnets de céleri en branches et des crackers.

VARIANTES

German smoked cheese (fromage fumé allemand) : ce fromage ressemble beaucoup au précédent mais il est fumé après avoir été fondu et non avant ; son goût est souvent plus prononcé.

Basil : ce fromage allemand aplati, couleur acajou, enveloppé de paraffine, est fabriqué selon la méthode classique, puis fumé. La pâte jaune est souple et présente de petits trous ; son goût est agréablement fumé.

lait	lait de vache entier pasteurisé
variété	demi-dur, fondu, enveloppé de plastique
mat. grasse	45%
affinage	aucun
saveur	douce
vin	chardonnay légèrement boisé

Babybel

France

$\mathscr{C}$e joli petit fromage enveloppé de paraffine fut inventé en 1931. Cet enrobage lui permet de se conserver pendant trois ou quatre mois. Malgré son goût plutôt fade, il jouit d'une grande popularité, si bien que la maison Bel a maintenant implanté des usines en Espagne, en Algérie, au Danemark et au Japon.

Le Babybel est fabriqué à peu près comme l'édam ; sa pâte de couleur pâle et sa texture ferme presque élastique ressemblent à celle de l'édam. Son goût se rapproche de celui d'un gouda très doux, avec une légère note de caramel. C'est un fromage idéal pour les en-cas ou les pique-niques.

V A R I A N T E

Albany : le Babybel est fabriqué sous licence aux États-Unis, dans le Kentucky, et vendu sous le nom d'«albany».

lait	lait de vache
variété	pâte demi-dure, cuite et pressée, croûte paraffinée
mat. grasse	45 %
affinage	2 à 3 mois
saveur	très douce
vin	rouge léger, beaujolais par exemple

Banon

Sud-est de la France

*C*e délicieux petit fromage qui porte le nom du village provençal de Banon est enveloppé dans des feuilles de châtaignier et enrubanné de raphia. Sa croûte légèrement collante bleuit parfois avec le temps. La pâte est blanche, un peu friable, avec un léger parfum de lait. Sa saveur est douce, avec une pointe d'aigreur.

VARIANTES

Saint-marcellin : il est fabriqué dans le Dauphiné, presque toujours avec du lait de vache.

Banon américain : Sally Jackson produit dans l'État de Washington un petit fromage de chèvre comparable au banon, à la saveur d'herbes aromatiques. Judy Schad, de Capriole dans l'Indiana, fabrique également un banon de chèvre qu'elle fait macérer dans du vin blanc et de l'eau-de-vie.

lait	lait de brebis, de chèvre ou de vache
variété	pâte molle, croûte naturelle
mat. grasse	45 %
affinage	2 semaines à 2 mois
saveur	douce à forte
vin	pinot blanc

Bleu de Bavière

Bavière, Allemagne

*C*e fromage très apprécié est un hybride, qui associe la croûte fleurie d'un camembert aux veinures bleues d'un gorgonzola (la variété la plus connue, le cambozola, tire d'ailleurs son nom de ces deux fromages).

La pâte est de couleur blanc crème avec des taches, plutôt que des veinures, de moisissure bleue. Il a une saveur très douce, avec une légère note de champignons et de citron. Retirez-le du réfrigérateur au moins une heure avant de le servir sur des toasts ou dans des soupes.

lait	lait de vache pasteurisé avec la crème
variété	p. demi-dure, croûte fleurie, taches bleues
mat. grasse	70 %
affinage	2 à 4 semaines
saveur	douce, plutôt fade
vin	riesling sec

VARIANTES

Bla castello : c'est la version danoise de ce fromage.
Timboon farmhouse blue : bleu australien à croûte molle fait avec du lait biologique par Timboon Farmhouse Cheeses dans l'État de Victoria.

Beaufort

Savoie, France

$\mathscr{C}$e fromage est une superbe réponse de la France au gruyère. Sa riche saveur est le résultat d'un affinage dans les caves humides des montagnes de Savoie. Les vaches tarines paissent la bonne herbe des alpages et donnent un lait éminemment parfumé.

Le fromage se présente sous la forme d'une grande meule assez haute, et à la paroi concave, qui pèse entre 40 et 60 kg. Sa croûte naturelle est fine, de couleur jaune foncé, presque ocre. La pâte est lisse et très ferme, mais souple, avec peu de trous ou craquelures ; il y a parfois quelques fissures horizontales.

La pâte présente un parfum de noisettes et de caramel et un goût insolite, peu salé, avec des arômes de noisettes et de caramel mou. C'est un fromage que l'on adore ou que l'on déteste.

Pour un pique-nique, servez de bons morceaux de beaufort avec des baguettes de pain croustillant et du beurre doux, ou pour un déjeuner,

lait	lait de vache non pasteurisé
variété	pâte dure, cuite, pressée, croûte naturelle brossée
mat. grasse	50 %
affinage	6 mois minimum (jusqu'à 2 ans)
saveur	modérée
vin	chardonnay légèrement boisé

coupez-le en petits cubes dans une salade composée, ce sera délicieux. Si vous préférez le déguster à la fin d'un repas, faites-lui honneur en le servant seul avec des crackers nature et quelques amandes.

Le beaufort est un fromage qui se prête à divers usages. Les gens du pays en mettent dans la traditionnelle omelette à la savoyarde et dans le gratin de pommes de terre avec du beurre et du lait. Bien sûr, c'est un fromage idéal pour la cuisine car il fond merveilleusement bien. Goûtez-le, fondu, sur des courgettes grillées ou des pommes de terre au four.

Ce fromage est fabriqué dans les chalets d'alpage selon un procédé comparable à celui de l'emmental ou du gruyère. Les meilleurs fromages sont fabriqués en août, avec le dernier lait de l'été, et on le trouve en magasin à partir de mars ou avril – le temps d'affinage des meilleurs beauforts excède cependant le minimum prescrit de cinq mois, de sorte que l'on en peut acheter à d'autres périodes de l'année. Ces beauforts reçoivent le label « beaufort d'alpage ».

Omelette à la savoyarde

Coupez 4 pommes de terre bouillies de taille moyenne et faites-les dorer avec du beurre. Mélangez 8 œufs avec 100 g de beaufort râpé. Salez et poivrez, puis versez cette préparation sur les pommes de terre. Laissez cuire jusqu'à ce que le dessous ait durci. Terminez la cuisson sous le gril chaud du four. Vous pouvez ajouter du cerfeuil frais haché ou votre herbe aromatique préférée (mais cela n'aura rien de savoyard !).

RECETTE

Beenleigh Blue

*C*e bleu au lait de brebis cru, délicieusement parfumé, provient des vallées verdoyantes du Devon. Robin et Sari Congdon ont commencé à le produire en quantité limitée à Totnes dans les années 1980. Aujourd'hui, ils fabriquent assez de fromage pour en vendre toute l'année, et font également des bleus de vache et de chèvre.

Ce fromage à croûte naturelle très fine se vend enveloppé dans du papier d'aluminium. Les veinures bleues forment un motif irrégulier, surtout dans la pâte légèrement friable. Il a un arôme prononcé de noisettes grillées et de moisissure. Sa saveur forte heurte le palais avec une note franchement fruitée et une touche de vin et de noisettes, puis s'atténue en évoquant les champignons.

Servez-le comme un mets, accompagné de porto ou de vin liquoreux et de crackers nature, soit seul, soit avec un assortiment de fromages à pâte molle et dure. Ou bien utilisez-le pour faire une sauce de salade, de la pizza au bleu, ou saupoudrez-le sur des chèvres chauds avec des pignons de pin, en guise d'apéritif.

ci-contre : *pizza aux brocolis garnie de bleu beenleigh.*

Harbourne blue : bleu artisanal fait avec du lait de chèvre cru donné par des chèvres qui paissent en bordure des landes de Dartmoor, dans le Devon. C'est un fromage à pâte demi-dure, qui est affiné pendant trois mois ; il possède une saveur particulière et très aromatique.

Devon blue : bleu fabriqué avec du lait de vache provenant de plusieurs fermes ; par conséquent, Roger Congdon a décidé de traiter le lait en le chauffant doucement, ce qui ne semble pas altérer sa saveur outre mesure. Ce fromage, affiné pendant six mois, est enveloppé dans du papier d'aluminium doré. Il présente un arôme de feuilles moisies, avec des notes de raisins et de noisettes, et une délicieuse saveur crémeuse avec une touche de noisettes grillées et une senteur de cuir souple.

Soupe de betteraves au beenleigh blue

Hachez 2 oignons et faites-les revenir dans le beurre, à feu doux, jusqu'à ce qu'ils soient opaques. Ajoutez 250 g de betteraves épluchées et hachées, une grosse pomme de terre épluchée et hachée ainsi que 80 cl de bouillon ; salez et poivrez. Réduisez le tout en purée dans un mixer puis versez dans la poêle et faites chauffer à nouveau. Coupez une baguette de pain en tranches et faites-les griller. Tartinez-les de beenleigh blue et passez-les sous le gril. Servez la soupe dans des écuelles et garnissez de croûtons au bleu.

RECETTE

lait	lait de chèvre
variété	bleu à pâte molle
mat. grasse	47 %
affinage	de 5 à 8 mois
saveur	modérée
vin	porto

Bel Paese

Nord de l'Italie

$\mathcal{C}$e fromage doux, créé au début du XXe siècle par la maison Galbani, est extrêmement populaire, en particulier aux États-Unis. Il est maintenant fabriqué dans de grandes laiteries industrielles en Italie (en Lombardie) et aux États-Unis (dans le New Jersey).

Le Bel Paese se présente sous forme de petits disques ; sa croûte est fine et brillante. Sa pâte de couleur jaune crème, percée de quelques petits trous, est trop ferme pour être tartinée et un peu trop molle pour bien se trancher. Elle possède un léger arôme de beurre, un peu acide. C'est un fromage utile pour la cuisine, car il fond sans durcir.

lait	lait de vache pasteurisé
variété	p. demi-dure, non cuite, pressée, croûte lavée
mat. grasse	de 45 à 52 %
affinage	6 à 8 semaines
saveur	très douce
vin	chardonnay léger ou barbera

VARIANTE

Italico : nom donné à une gamme de fromages similaires, vendus sous différentes marques et fabriqués par un concurrent de la maison Galbani.

Bleu d'Auvergne

Auvergne, France

Le bleu d'Auvergne se voulait tout d'abord une imitation du roquefort, remplaçant le lait de brebis par du lait de vache. Il est maintenant fabriqué dans le Cantal et le Puy-de-Dôme, deux départements du Massif central, et s'est imposé, à juste titre, comme un fromage de première catégorie bénéficiaire d'une AOC. À l'origine, le bleu d'Auvergne était fabriqué dans les fermes de la région, et à ce jour une petite quantité reste de facture artisanale ; cependant, la plupart des fromages sont aujourd'hui fabriqués en laiterie. À l'image du roquefort, le fromage est affiné dans des caves humides et percé à l'aiguille au bout de deux mois.

Il se présente sous la forme de cylindres plats de taille moyenne. Sa croûte est très fine et il est généralement enveloppé dans du papier d'aluminium. La pâte, riche et crémeuse, présente une jolie couleur jaune pâle, qui noircit légèrement à proximité de la croûte. Quelques trous sont disséminés dans la pâte, uniformément parcourue d'un réseau de veinures bleu-vert.

lait	lait de vache pasteurisé
variété	pâte demi-dure, à veinures bleues, croûte salée
mat. grasse	45%
affinage	environ 3 mois
saveur	modérée, avec un bon piquant
vin	sauternes

Ce fromage possède un merveilleux arôme de gâteau sec tout juste sorti du four. Son goût est riche, légèrement salé à l'endroit des veinures bleues. Sa saveur est piquante sans être agressive. Servez-le avec du raisin doux pour clôturer un repas.

Le bleu d'Auvergne se prête bien à la cuisine car il fond superbement. Utilisez-en un peu pour parfumer des soufflés ou des omelettes. Incorporez-le à une salade verte, à une sauce accompagnant des haricots secs et des noix, ou à une salade de pommes de terre. Si vous conservez du bleu d'Auvergne un certain temps, retirez le papier d'aluminium d'origine et enveloppez-le dans une double épaisseur de papier d'aluminium neuf.

V A R I A N T E S

Bleu des Causses (voir photo page 65) : à proprement parler, ce n'est pas une variante mais un autre fromage AOC. Il vient du Massif central et ressemble beaucoup au bleu d'Auvergne. Il est fabriqué dans le Rouergue avec du lait cru et affiné dans des caves naturelles comparables à celles de Combalou, réservées à l'affinage du roquefort. Il offre une texture plus crémeuse que celle du bleu d'Auvergne et une saveur un peu plus riche.
Bleu du Quercy : il ressemble beaucoup au bleu des Causses.

Soupe de chou-fleur au bleu

Hachez 2 poireaux et faites-les revenir à feu doux dans le beurre jusqu'à ce qu'ils soient moelleux, puis ajoutez un petit verre de xérès, un petit chou-fleur coupé en morceaux et 75 cl de bouillon de légumes. Portez à ébullition, couvrez et laissez cuire 20 minutes à feu doux. Réduisez en purée et incorporez 100 g de bleu d'Auvergne émietté. Remettez la soupe sur le feu, chauffez doucement et servez.

RECETTE

Bleu de Bresse

Bourgogne, France

*L*e bleu de Bresse, inventé en 1950 par des fabricants du nord-est de la France comme une version plus petite et plus commercialisable du saingorlon, lui-même une copie du gorgonzola, est maintenant fabriqué industriellement avec du lait pasteurisé.

Ce fromage existe en plusieurs tailles. Sa croûte est lisse, blanc cassé à bleuâtre. La pâte est pâle et crémeuse, avec çà et là des taches bleues. Il possède un arôme léger et lactique, une saveur qui évoque les champignons. Coupez les petits fromages en tranches dans des salades aux pignons de pin ou servez-le avec des bâtonnets de céleri ou des poires.

VARIANTE

Pipo : c'est l'une des nombreuses marques déposées utilisées par les laiteries.

lait	lait de vache pasteurisé
variété	p. molle, taches bleues, croûte à moisissure
mat. grasse	50 %
affinage	quelques semaines
saveur	douce
vin	rouges légers

Bleu de Gex

*L*e bleu de Gex et son très proche voisin et cousin, le bleu de Sept-
moncel, sont regroupés sous l'appellation officielle de bleu de Gex
haut Jura. Cependant, la plupart des crémiers vendent ces fromages sous
leurs propres noms, même s'ils se ressemblent beaucoup.

Les bleus de Gex haut Jura se présentent sous forme de meules pesant
jusqu'à 7 kg ; ils ont une croûte naturelle brossée sèche, rugueuse et de
couleur jaune blanchâtre. Évitez d'acheter les fromages craquelés et
gluants au toucher. La pâte est dense et crémeuse, de couleur ivoire, mar-
brée de veinures bleu-vert. Son arôme et sa saveur sont assez doux mais
non dépourvus de caractère. Son goût est assez vif et amer.

Servez-le pour un déjeuner léger avec des noix et du céleri au vinaigre,
ou incorporez-le dans une sauce pour assaisonner une salade verte aux
noix.

lait	lait de vache non pasteurisé
variété	pâte bleue molle, croûte naturelle brossée
mat. grasse	45 %
affinage	2 à 3 mois
saveur	modérée
vin	bon bourgogne blanc

Bonchester

*C*e fromage parfumé à pâte molle, provenant des confins de l'Écosse, est l'un des quelques fromages britanniques habilités à recevoir une dénomination d'origine de l'Union européenne. Il est fabriqué quotidiennement par John et Christian Curtis dans leur ferme de Bonchester Bridge.

Il se présente sous la forme d'un petit disque peu épais, à la croûte blanche parsemée de quelques pigments roux. En s'affinant, la pâte prend une couleur jaune primevère. Le fromage affiné présente un arôme butyreux de lait concentré, et sa saveur offre un léger arrière-goût suave et crémeux.

VARIANTE

Teviotdale : c'est un fromage à pâte dure qui se fabrique en écrasant ensemble quatre bonchesters. Au bout de 3 ou 4 mois d'affinage, on obtient un fromage tendre à la délicieuse saveur veloutée et florale.

lait	lait de vache de Jersey cru
variété	pâte molle, croûte fleurie
mat. grasse	44 %
affinage	10 semaines
saveur	douce
vin	bordeaux

Boursault

Nord-est de la France

*J*adis connu sous le nom de «lucullus», ce petit fromage triple crème de Normandie et de l'Ile-de-France est le parfait exemple du bon fromage de fabrication industrielle.

Il a une fine croûte fleurie, légèrement rosée. La pâte est extrêmement crémeuse et légèrement aromatique. Sa saveur, délicatement noisetée, garde tout son charme en dépit de la quantité de crème utilisée.

Servez-le de manière traditionnelle, sur un plateau de fromages, avec du raisin et du céleri en branche, ou bien utilisez-le pour agrémenter vos soupes au fromage, fondues ou sauces. Pour assaisonner un plat de pâtes, concoctez une sauce rapide en retirant la croûte et en le faisant fondre dans un peu de bouillon de poulet parfumé aux herbes aromatiques fraîches.

Le Boursault a été inventé par Henri Boursault et la marque est maintenant la propriété de la maison Boursin. Il existe un choix de Boursault au label or et argent. Le premier est meilleur car il est fait avec du lait cru.

lait	lait de vache enrichi de crème
variété	pâte molle, triple crème, croûte fleurie
mat. grasse	75%
affinage	3 à 4 semaines
saveur	douce et noisetée
vin	rioja

Boursin

Nord-est de la France

Ce fromage doux, aromatisé à l'ail et aux fines herbes, fut l'un des premiers fromages aromatisés à susciter un certain engouement. C'est un fromage triple crème industriel, fabriqué en Normandie.

Ce fromage existe en quatre versions : à l'ail et aux fines herbes, naturel, au poivre et allégé. Ils sont tous raisonnablement parfumés.

Servez-le avec du pain frais et croustillant (baguette) ou du pain noir. Utilisez-le pour confectionner des canapés ou pour farcir des bâtonnets de céleri, des dattes ou des tomates.

lait	crème de vache
variété	pâte molle, fraîche, triple crème
mat. grasse	70 %
affinage	frais
saveur	légère à modérée
vin	sancerre ou sauvignon blanc

VARIANTES

Tartare : marque déposée d'un fromage concurrent, vendu en pot.

Rondelé et Alouette : marques déposées américaines pour des pâtes à tartiner aux fines herbes et au poivre ressemblant au Boursin.

Brie

Nord-est de la France

*L*e brie appartient au «gotha» des fromages français. Il aurait, prétend-on, gagné ses galons lors d'un concours de fromages organisé par le ministre Talleyrand pour distraire les signataires du traité de Vienne après la bataille de Waterloo en 1815. Chacun des trente diplomates présenta son fromage préféré : lorsque Talleyrand apporta le brie de Meaux, ce dernier fut élu meilleur fromage à l'unanimité. C'est actuellement l'un des fromages les plus imités au monde.

Le véritable brie provient du département de Seine-et-Marne, et aujourd'hui, les seuls bries authentiques sont le brie de Meaux et le brie de Melun. Tous deux bénéficient d'une AOC. Vérifiez la marque sur l'emballage pour être sûr de ne pas acheter une des nombreuses imitations.

Le brie de Meaux se présente sous forme de disques aplatis pesant de 1 à 3 kg. Il présente une croûte fleurie parsemée de points rougeâtres, ce qui le distingue de ses copies. La pâte, de couleur jaune paille, devient ivoire en cours de maturation ; lorsque le fromage est bien fait, elle gonfle sans couler. Évitez de choisir des fromages à pâte crayeuse. Ce fromage doit avoir un arôme de terroir et de noisettes grillées, avec une touche ammoniacale. Le brie laitier ou industriel sera plus doux, avec un arôme de champignons. Le brie fermier possède un goût riche, avec une saveur fruitée et noisetée. Le brie de Melun est légèrement plus petit et affiné plus longuement que le brie de Meaux. Il a une croûte couverte de taches noires avec quelques traces de blanc. La pâte est de couleur jaune or. Son arôme et sa saveur sont plus forts et plus rustiques que ceux du brie de Meaux.

VARIANTES

Brie de Melun affiné : c'est un brie de Melun que l'on a fait vieillir.

Brie de Melun frais : c'est un brie de Melun très jeune. Parfois, il n'a pas de croûte du tout, ou alors il est cendré et se fait appeler « bleu ».

Brie de Montereau : c'est un fromage qui ressemble beaucoup au brie de Melun affiné, mais dont l'affinage n'a duré que six semaines.

Brie laitier et fromages industriels de style brie : le brie industriel est fabriqué de différentes manières, mais toujours avec du lait pasteurisé. Malheureusement, la plupart des bries laitiers ne peuvent prétendre atteindre la qualité de goût des deux bries AOC. La croûte aura un léger arôme de champignons, mais la pâte elle-même a très peu de goût. La texture est parfois assez décevante elle aussi. Cela est dû au fait que beaucoup de fromages laitiers recèlent 52 %, voire 60 % de matières grasses et qu'ils sont « stabilisés » en cours de fabrication. Ils ont donc une consistance uniforme qui ne se développe pas de la même façon que celle des fromages fermiers. Ils peuvent rester inchangés pendant des mois au rayon « fromages » d'un supermarché. Parmi les marques déposées, on trouve la Belle des Champs, le Suprême des Ducs et le Délice.

Dunbarra : ce fromage irlandais, à pâte molle et à croûte fleurie, de texture crémeuse, est plus ferme et plus doux que le brie.

Brie du Somerset : cette version anglaise du brie, très douce, est produite dans le Somerset. Ce fromage développe parfois une saveur agréable.

Bath soft cheese : ce fromage est fabriqué à partir d'une recette originale du XIXe siècle, mais le résultat est proche du brie. Fabriqué par Grahame Padfield avec le lait cru de ses propres vaches, ce fromage possède une saveur riche, avec une note de champignons et de citron.

Vermont farmhouse brie : les fromagers Karen Galayda et Tom Gilbert, de la Craigston Cheese Company dans le Massachusetts, furent les premiers à fabriquer des fromages affinés à croûte fleurie aux États-Unis. Désormais installés à leur compte dans le Vermont, à Blythedale Farm, ils utilisent une technique très douce pour pasteuriser leur lait, ce qui donne un fromage proche des fromages au lait cru.

Fairview estate brie : Graham Sutherland produit un fromage de style brie avec du lait de vaches de race Jersey à Suider Paarl, en Afrique du Sud.

Timboon : c'est un brie australien primé, fabriqué avec du lait biologique par la Timboon Farmhouse Cheeses dans l'État de Victoria.

Grape vine aash brie : fabriqué par Peter Curtis à la Hunter Valley Cheese Company en Nouvelle-Galles du Sud, Australie. Le caillé est saupoudré de cendres de sarments de vigne et affiné jusqu'à ce que la moisissure blanche se développe à travers les cendres.

Fromage industriel non français de style brie : de tels fromages sont actuellement élaborés dans plusieurs pays, souvent dans des usines appartenant à des producteurs français. On obtient un fromage proche de celui fabriqué en France. Certains bries industriels sont vendus sous des marques déposées, comme le Dania produit au Danemark.

Brie bleu allemand et français : les Allemands ont inventé un bleu comparable au brie, qui a ensuite été copié par les Français. C'est un fromage à forte teneur en matière grasse, car le lait utilisé est enrichi de crème.

Abbey blue brie : un fromage fermier irlandais fait avec du lait de vache entier.

lait	lait de vache
variété	pâte molle, croûte fleurie
mat. grasse	de 45 à 60 %
affinage	fromages fermiers : de 4 à 10 semaines
	fromages laitiers : 3 semaines
saveur	douce à prononcée et fruitée
vin	chardonnay corsé ou vins liquoreux allemands

Le brie de Meaux et le brie de Melun méritent d'être servis seuls. Achetez un fromage entier pour un dîner ou un buffet et donnez-lui la primeur. Prévoyez des crackers et du raisin en accompagnement. Ces fromages sont également très bons servis au déjeuner avec des baguettes de pain croustillant et des pickles doux.

Un fromage à point se gardera trois jours seulement si vous le laissez à température ambiante. Si vous en conservez un morceau, il est conseillé de couvrir les parties exposées d'un morceau de carton pour l'empêcher de couler. Stockez-le dans un endroit frais ou dans le bac à légumes de votre réfrigérateur.

Le brie est un fromage utile en cuisine. Retirez la croûte et il fondra facilement dans les soupes et les sauces. Coupez-le en lamelles et incorporez-le aux gratins de pommes de terre, aux quiches au poisson et aux ragoûts de légumes. Coupez-le en portions et servez-le sur des feuilles de salade avec une sauce moutarde ou faites-en des croquettes que vous enroberez d'un mélange d'œuf battu et de chapelure avant de les faire dorer à la poêle.

Le brie traditionnel se fabrique avec du lait cru et pasteurisé. Le

ci-dessus : *croquette de brie.*

caillé n'est ni divisé, ni pressé. La réussite du fromage réside dans l'art de mouler les caillés et de retirer le petit-lait. Le risque est grand de produire un fromage sec et crayeux. Une fois formés, les fromages sont placés sur de la paille et tournés régulièrement. Au bout d'une semaine, ils sont saupoudrés d'une moisissure de pénicilline spéciale et affinés à une température soigneusement contrôlée jusqu'à ce qu'ils soient à point. Le meilleur brie fermier s'achète et se consomme à la fin de l'été et à l'automne.

Brillat-savarin

Normandie, France

*C*e fromage crémeux porte le nom de l'homme qui déclara qu'un repas sans fromage était comme une belle femme à qui il manquerait un œil. Brillat-Savarin, écrivain, homme politique et fin gourmet, a fui la France sous l'ère napoléonienne et vécut un temps aux États-Unis.

Mais le fromage n'est pas aussi ancien que son nom : il fut inventé et baptisé au début du XXᵉ siècle par le légendaire maître fromager Henri Androuet. Il se présente sous forme de disques épais d'un poids d'une livre. Sa croûte fine est blanche et duveteuse, sa pâte se coupe comme du beurre.

Le brillat-savarin a un arôme fortement lactique, avec de légères notes de citron aigre. Sa saveur est de même caractère, avec une onctuosité végétale très agréable. L'adage à retenir pour ce fromage est : «Plus il est jeune, meilleur il est». Si vous le laissez vieillir trop longtemps, sa croûte fonce et sa pâte devient huileuse. Servez-le après un plat de viande grillée, avec une coupe de fruits composée d'abricots, de kiwis et de fruits rouges.

lait	lait de vache enrichi de crème chaude
variété	pâte très molle, triple crème, croûte fleurie
mat. grasse	78%
affinage	3 semaines
saveur	très douce
vin	champagne ou vin pétillant de Californie

Brin d'amour

Corse, France

C'est un fromage parfait pour ceux qui aiment les herbes aromatiques. L'enrobage de ce petit fromage rond ou carré est composé d'un mélange d'herbes méditerranéennes – romarin, thym sauvage, sarriette – de grains de coriandre, de baies de genièvre et de minuscules piments rouges. Il porte également le nom de « fleur du maquis ».

Le jeune fromage présente une pâte d'un tendre blanc de neige, crémeuse et humide. À mesure qu'elle mûrit, la pâte prend une couleur plus sombre et commence à couler ; finalement, elle durcit. Le goût du fromage jeune est doux et subtil, mais les herbes de l'enrobage parfument l'intérieur. Les fromages vieux ont une saveur plus noisetée, avec une pointe de moisi ; les fromages de plus de deux mois ont le goût le plus concentré.

Servez-le sur un plateau avec d'autres fromages, coupez-le en cubes et servez-le avec des olives pour un apéritif, ou mettez-le dans des salades pour un déjeuner ou un dîner.

lait	lait de chèvre ou de brebis, ou mélange des deux
variété	pâte molle à dure, sans croûte, enrobé
	d'herbes aromatiques
mat. grasse	45 %
affinage	2 à 10 semaines
saveur	douce à moyennement prononcée
vin	rouge de Provence corsé

Cabrales

C'est un bleu de grand caractère. Il est fait à la main dans les fermes des régions montagneuses du nord de l'Espagne (Picos de Europa) et affiné dans des caves ventilées par des vents froids, humides et salés provenant du golfe de Biscaye.

Les habitants de Concejo de Cabrales élèvent des vaches, des chèvres et des brebis, et utilisent le lait non traité des trois pour faire leur fromage dans des quantités qui varient selon la disponibilité. Le fromage se présente sous forme de timbales petites à moyennes, avec une croûte jaune ocre foncé assez poisseuse au toucher.

Les cabrales authentiques sont habillés de feuilles, mais, étant donné les nouvelles réglementations sanitaires, on utilise plus souvent le papier d'aluminium vert ou le plastique pour envelopper le fromage. Les feuilles, toutefois, lui donnent une saveur particulière.

lait	lait de chèvre, de vache et de brebis non pasteurisé
variété	pâte demi-dure, affinée, croûte naturelle, veinures bleues
mat. grasse	de 45 à 48 %
affinage	3 à 6 mois
saveur	prononcée
vin	xérès ou rioja (blanc vieilli en fût de chêne, ou rouge jeune)

La pâte, de couleur blanc crème, est parcourue de veinures bleues, souvent plus nombreuses près des bords que vers le cœur. On voit presque le caillé, et le fromage est si moelleux que l'on peut le tartiner sur des morceaux de pain frais ou des toasts, mais il est plus friable qu'humide.

Ce fromage possède un arôme fort et une salinité qui surprend agréablement les papilles gustatives. Son goût affirmé, avec des nuances boisées et citronnées, persiste en bouche. Servez-le seul à la fin d'un bon repas ou mangez-le à midi sur du pain de campagne avec de grosses tomates. Les Espagnols le mélangent avec des olives noires émincées et tartinent cette pâte sur des toasts ou l'utilisent pour confectionner un mets comparable à la fondue en le battant avec du cidre brut. Ils l'emploient également dans des sauces pour accompagner la viande et les légumes.

Vous achèterez les meilleurs fromages à la fin du printemps ; ils ont été faits avec le lait des bêtes qui ont brouté l'herbe des pâturages d'altitude. Les gens de la région prétendent que le lait de vache acidifie le fromage, celui de chèvre lui donne son piquant et celui de brebis son arôme et sa texture butyreuses. Aux autres périodes de l'année, le lait de chèvre ou de brebis n'est disponible qu'en petites quantités, voire introuvable.

On fabrique les fromages en faisant coaguler le mélange des différents laits selon la méthode habituelle. Au bout de plusieurs heures, le caillé est découpé en morceaux irréguliers de la grosseur d'une noix puis mis à égoutter dans des moules cylindriques. Le salage à sec est suivi d'une

ci-dessus : *les Asturies, patrie du cabrales et de ses variantes.*

période de séchage complémentaire, puis les fromages sont transportés dans les caves. La moisissure apparaît sur l'extérieur des fromages et progresse à l'intérieur de la pâte. En même temps, de la levure se forme sur la croûte et lui donne sa couleur caractéristique jaune ocre foncé tout comme son odeur pénétrante.

VARIANTES

Picón : ce fromage espagnol d'appellation contrôlée ressemble beaucoup au cabrales. Il vient de la Cantabrie, de l'autre côté des montagnes des Asturies. Comme le cabrales, il est fabriqué avec du lait de chèvre, de brebis ou de vache, mais le plus souvent avec du lait de vache seul. Si l'on met les deux fromages – cabrales et picón – côte à côte, il est difficile de les différencier.

Gamonedo ou gamoneu : comme le cabrales, ce fromage vient des montagnes des Asturies. Cependant, il est un peu plus haut et la croûte est plus grise. Son odeur est encore plus forte. Les gamonedos sont légèrement fumés avant d'être affinés dans des caves de montagne. Leur pâte, plus ferme que celle du cabrales, possède une saveur très riche, bien particulière.

Steak sauce cabrales

À feu doux, faites ramollir une bonne cuillerée à café de beurre dans une casserole avec 200 g de cabrales. Ne laissez pas complètement fondre le fromage. Puis ajoutez 20 cl de crème fraîche liquide et remuez jusqu'à obtention d'une sauce onctueuse. Au moment voulu, réchauffez la sauce à feu doux et versez-la sur quatre steaks grillés ou poêlés. Cette sauce est parfaite pour accompagner les plats de pâtes ou de pommes de terre que l'on peut ensuite faire gratiner au four.

RECETTE

Caerphilly

Pays de Galles

$\mathcal{L}$e caerphilly traditionnel était très apprécié des mineurs gallois qui le mangeaient comme du gâteau. Pendant la Seconde Guerre mondiale, la production fut interrompue car le lait était réquisitionné pour fabriquer du cheddar. Les fromagers gallois durent cesser leur activité.

Pendant longtemps, ce fromage gallois fut fabriqué uniquement en Angleterre, mais aujourd'hui, quelques fermes du pays de Galles ont renoué avec la tradition. Des exploitations telles que Caws Cenarth et Glynhynod dans le comté du Dyfed produisent des fromages fermiers de première qualité.

Le caerphilly a la forme d'une meule ; son écorce est très fine. Sa pâte blanc crème présente une texture friable et moelleuse.

Le fromage fermier possède une saveur assez délicate, avec une agréable acidité citronnée et une note saline. Les fromages laitiers réussis-

lait	lait de vache
variété	pâte demi-dure, pressée et trempée dans la saumure, croûte naturelle
mat. grasse	48 %
affinage	1 à 2 mois
saveur	légèrement piquante
vin	rioja

sent rarement à offrir la même subtilité de goût que leurs homologues fermiers, et sont parfois assez fades.

Servez ce fromage seul avec du raisin ou des pommes, ou faites-le fondre sur des toasts avec une goutte de vinaigre. Mélangez-le à des champignons rissolés pour confectionner des crêpes fourrées.

ci-dessus : *crêpes fourrées au caerphilly.*

Les nouveaux fromages fermiers sont fabriqués avec du lait non pasteurisé. Ils sont légèrement pressés et mis dans la saumure pendant 24 heures avant d'être frottés à la farine de riz. Essayez de trouver du duckett's caerphilly de Wedmore Farm dans le Somerset : c'est un fromage sapide et merveilleusement crémeux.

VARIANTES

Wedmore : duckett's caerphilly jeune, à la saveur caractéristique car enrobé de ciboulette ciselée.

Tournagus : duckett's caerphilly qui, lavé dans du vin du Kent, s'est doté d'une croûte rouge légèrement poisseuse et d'une saveur prononcée.

Ribblesdale : ce fromage possède une saveur douce, assez inhabituelle pour un chèvre, et une texture semblable à celle d'un caerphilly jeune.

Saucisses Glamorgan

En quantités égales, mélangez de la chapelure, des poireaux finement émincés et du caerphilly râpé. Ajoutez du persil frais haché, un peu de moutarde, salez, poivrez et liez avec un œuf battu. Façonnez de petites saucisses, roulez-les dans la farine puis dans l'œuf battu, et pour finir, dans de la chapelure. Faites-les frire à la poêle, en les tournant de temps en temps jusqu'à ce que l'enrobage soit croustillant.

RECETTE

Camembert

C'est l'un des fromages les plus célèbres du monde. Le camembert est originaire du pays d'Auge en Normandie, mais sa production ne se limite pas à la France. Il est maintenant fabriqué dans tous les pays producteurs de fromages et se savoure partout, de San Francisco à Saïgon.

Le meilleur camembert est produit de manière artisanale avec du lait cru, dans des fermes de Normandie. Cette variété de camembert est protégée par une appellation d'origine contrôlée. Ailleurs, de grosses laiteries produisent en série des fromages peu goûteux faits avec du lait pasteurisé.

Il faut rechercher la dénomination « véritable camembert de Normandie » ainsi que les mots « au lait cru » indiquant que l'on a utilisé du lait non pasteurisé. Ces fromages ont une croûte fleurie caractéristique pigmentée de légères marques brunes. La pâte couleur de paille doit être uniformément crémeuse.

Un bon camembert possède un arôme de terroir teinté de moisissure. Sa saveur est riche et crémeuse, avec une note de fraîcheur végétale. À moins que vous ne soyez friand de fromage vraiment fait, évitez d'acheter un camembert trop mou, à la pâte presque gluante. Le camembert ne doit pas être fort au point d'embaumer toute la pièce de son odeur ammoniacale ! Vérifiez le degré de maturité en tenant délicatement le camembert par le cœur entre le pouce et l'index, et pressez doucement. Il doit céder un peu sous la pression, mais pas trop.

Un des meilleurs fromages à bénéficier du label AOC est l'isigny-sainte-mère. Il est illégal d'exporter du camembert au lait cru aux États-Unis. Le seul camembert disponible en Amérique est de fabrication industrielle. Comme le fromage fermier, il se présente sous forme de disques de 225 ou 250 g emballés dans des boîtes en copeaux de bois. La croûte fleurie est souvent pigmentée de rouge, et la pâte est parfois crayeuse. Son arôme évoque la moisissure, sa saveur est très douce, sans richesse aucune.

Le camembert est excellent pour un en-cas ou un déjeuner léger, servi avec des pickles au goût fruité. Mettez un camembert entier dans votre buffet de fromages ou servez-le à la fin du repas. Sinon, prenez une pointe de timboon farmhouse cheese australien (p. 74) et servez-le avec de la pâte de coing sur du pain de seigle.

C'est un fromage très apprécié pour la cuisine. Retirez la croûte et faites-le fondre pour obtenir une sauce onctueuse qui servira à napper des courgettes, des pâtes (voir ci-dessous) ou du poisson. Écrasez-le avec des noisettes hachées ou des grains de sésame pour confectionner des canapés.

Conservez le camembert dans sa boîte. S'il n'est pas vraiment à point, vous pouvez le faire vieillir chez vous, dans un placard frais. Si vous le mettez au réfrigérateur, vous stopperez sa maturation, et bien sûr, il faudra le laisser un certain temps à température ambiante avant de le servir. Une fois coupé, enveloppez-le avec du papier d'aluminium et dégustez-le dès que possible.

ci-dessous : *raviolis nappés de sauce au camembert.*

Le camembert traditionnel est obtenu selon les techniques de fabrication du fromage à pâte molle. Le lait est chauffé à feu doux ; lorsqu'il est prêt, on ajoute de la présure liquide. Le caillage prend environ une heure et demie. Le caillé est ensuite transféré dans des moules perforés. Les fromages s'égouttent puis sont saupoudrés de souches de pénicilline et salés à sec. Ils sont ensuite affinés dans des caves très humides.

V A R I A N T E S

Cooleeney farmhouse : fabriqué dans le comté de Tipperary en Irlande par Jim et Breda Maher, ce fromage fermier de type camembert possède une pâte semi-liquide et une forte saveur de champignons. Il est plus riche et humide que le camembert. Jim Maher pense qu'il devra bientôt pasteuriser son lait au lieu d'utiliser du lait cru.

Vermont farmhouse camembert : Karen Galayda et Tom Gilbert font un très bon fromage de type camembert dans leur ferme de Corinth, aux États-Unis. Ils résolvent le problème de la pasteurisation en utilisant une méthode très lente qui n'altère pas la saveur du lait.

Fairview estate camembert : Graham Sutherland produit un fromage de style camembert avec du lait de vaches jersiaises sur sa propriété de Suider Paarl en Afrique du Sud. Il fabrique également du saint-martin, un fromage de chèvre à croûte fleurie évoquant également le camembert.

Timboon : fromage de type camembert fabriqué avec du lait biologique par Timboon Farmhouse Cheeses dans l'État de Victoria en Australie.

Top paddock camembert : c'est une autre variante australienne de ce fromage, fabriquée par Fred Peppin dans sa petite laiterie de Bena, dans l'État de Victoria.

lait	lait de vache
variété	pâte molle, croûte fleurie
mat. grasse	45 à 50 %
affinage	1 à 2 mois
saveur	douce à modérée
boisson	cidre brut bouché de Normandie

Cantal

Auvergne, France

*É*galement connu sous le nom de fourme du Cantal, c'est un des plus anciens fromages français. L'excellence du cantal avait déjà été notée par Pline il y a près de deux mille ans. Il était traditionnellement fabriqué dans les fermes des monts du Cantal, mais aujourd'hui, la majeure partie du cantal est produite par les laiteries installées en plaine. Cependant, son proche cousin le salers (du nom des vaches de Salers, originaires de la région) est resté un fromage fermier.

Le cantal et le salers ont une fine croûte gris-beige, sèche et pulvérulente, qui fonce avec l'âge. Celle-ci se craquelle et laisse pénétrer la moisissure à l'intérieur du fromage. Vous pouvez la consommer. La pâte fraîche est de couleur jaune pâle, de texture dense et onctueuse.

Le cantal présente un arôme lactique et une saveur noisetée qui laisse une acidité agréable en bouche. Un poète déclara que c'était une faute de goût d'évoquer en détail le cantal, tant ce fromage est la simplicité même.

lait	lait de vache
variété	pâte demi-dure, pressée, croûte brossée
mat. grasse	45 %
affinage	3 à 6 mois
saveur	douce
vin	rioja

Servez-le avec une assiette de salade, accompagné de pain de campagne et de fruits frais, ou incluez-le dans votre plateau de fromages. Le cantal se râpe et fond bien, il est donc très apprécié en cuisine. Utilisez-le dans des soupes et des sauces, ou bien pour parfumer de savoureux petits choux, des crackers au fromage ou des muffins.

ci-contre : *soupe de maïs.*

VARIANTES

Tomme d'aligot : c'est une version non affinée du fromage ; on l'utilise pour confectionner un mets régional également appelé « aligot », mélange de purée de pommes de terre, d'ail, de lard fumé et de fromage.

Cantalet : c'est un petit fromage fabriqué en laiterie avec du lait pasteurisé ; il pèse environ 10 kg.

Laguiole : c'est un autre fromage AOC, mais, à la différence du cantal, il n'est jamais fait avec du lait pasteurisé et bénéficie d'un temps d'affinage plus long. Ce fromage est donc un peu plus dur et son goût beaucoup plus vif.

Gratin de chou

Le cantal n'est pas trop filandreux une fois fondu, c'est donc un bon fromage pour confectionner des gratins. Coupez un chou vert ou blanc en lamelles et faites-le cuire à la vapeur. Ajoutez un peu de crème, salez et poivrez. Mettez cette préparation dans de petits plats à gratin individuels. Garnissez de cantal râpé mélangé à de la chapelure. Faites dorer au four, sous un gril chaud.

RECETTE

Cashel Blue

Irlande

*L*e troupeau de vaches de Holstein de Louis et Jane Grubb se repaît de l'herbe des prairies situées autour de leur ferme dans le comté de Tipperary, et la totalité du lait collecté entre dans la fabrication de ce petit bleu en forme de roue. Chaque fromage est habillé d'un papier doré et porte un numéro de code. Les deux premiers chiffres indiquent la semaine de l'année à laquelle le fromage a été fabriqué.

Le cashel blue a une croûte beige qui, en vieillissant, tire vers le rose ; la pâte, ferme chez le fromage jeune, s'attendrit par la suite. Au bout de six semaines, le fromage est déjà à l'étalage et la pâte couleur d'ivoire est assez friable, avec une saveur acidulée. Les six semaines suivantes, il développe une texture plus crémeuse ainsi qu'une saveur plus prononcée d'herbes aromatiques séchées et de feuillage moisi. Pour un fromage à point, laissez-le dans votre réfrigérateur à une température de 2 à 6 degrés. Servez-le avec des crackers nature, du pain complet ou du pain aux noix.

lait	lait de vache
variété	bleu à pâte demi-dure
mat. grasse	de 47 à 54 %
affinage	1 à 4 mois
saveur	modérée à forte
vin	vins légers et fruités (beaujolais, par exemple)

Cave Cheese

Nord du Danemark

*A*u début des années quatre-vingt, Aage Jensen de la laiterie Vellev, près d'Aarhus dans le nord du Jutland, décida d'affiner certains de ses fromages dans des caves naturelles voisines, façonnées par l'homme, d'où le nom de « cave cheese ». Leur température constante et leur fort taux d'humidité se sont révélés idéals, et ce fromage a remporté de nombreuses médailles d'or au Danemark.

Ce fromage est fabriqué selon la recette traditionnelle du danbo, mais un équipement moderne à base de microfiltres permet de pasteuriser le lait à basse température et de conserver une bonne partie de son parfum. Le fromage est pressé, trempé dans la saumure et lavé avec une culture bactérienne avant d'être transféré dans les caves de Monsted où il séjourne pendant un mois environ.

lait	lait de vache
variété	pâte demi-dure, pressée
mat. grasse	45 %
affinage	8 à 14 semaines
saveur	modérée
vin	rioja

Le cave cheese, à la texture souple, présente quelques trous. À huit semaines, il commence à développer un arôme de caramel à peine teinté de viande, comparable à celui du Port-Salut ou du saint-paulin. À ce stade-là, sa saveur est douce mais aromatique. Toutefois, lorsque le fromage est affiné de 12 à 14 semaines, il offre une saveur plus vive et intéressante.

Chabichou du Poitou

Centre de la France

Ce petit fromage cylindrique porte le nom du diminutif de « chèvre » en dialecte poitevin ; il est préférable de l'acheter en été ou au début de l'automne. La version AOC est faite à la main avec du lait cru dans les fermes du Poitou, mais elle se fait rare, même en France.

Cependant, les versions produites en laiterie sont bonnes et on les trouve en quantité. Elles seront étiquetées « chabichou », sans le « du Poitou », avec la dénomination « laitier ». Les autres sont connues sous les noms de « cabrichou », chabi ou « cabrichiu ».

Toutes les versions présentent une croûte naturelle beige qui développe parfois quelques petites marbrures bleues en vieillissant. La pâte blanche est ferme et élastique lorsque le fromage est jeune, mais devient moelleuse après affinage ; il est presque possible de la tartiner. Son goût,

lait	lait de chèvre
variété	pâte ferme à molle, croûte naturelle
mat. grasse	45%
affinage	2 à 3 semaines
saveur	douce à modérée
vin	sauvignon blanc avec du chabichou jeune et cabernet franc lorsqu'il est plus vieux

doux et léger au début, évolue vers une saveur plus noisetée et très prononcée. Tous les chabichous ont un arôme « caprin ».

Servez le chabichou avec des baguettes de pain frais et
croustillant, ou présentez-le sur un plateau avec une sélection de fromages de chèvre. Coupez le fromage jeune dans la
salade, assaisonnée de pignons de pin grillés, de jus de citron
et d'huile d'olive. Utilisez les fromages plus faits pour parfumer des quiches ou des sauces servant à accommoder des
légumes, comme le chou-fleur et le brocoli.

V A R I A N T E S

Cabécou : ce n'est pas une variante mais un autre fromage provenant du
Languedoc. Il partage le même diminutif du mot « chèvre », cette fois-ci en
langue d'oc. Le cabécou se présente sous forme de très petits disques de
différentes tailles, et la pâte, tout d'abord molle, très blanche et à saveur
douce, devient dure, bleuâtre et à saveur prononcée. La meilleure version
de ce fromage est le cabécou d'Entraygues, originaire d'Aquitaine. Servez
les plus petits fromages sur des piques à cocktail lors d'un apéritif, les plus
gros avec quelques feuilles de salade et des tranches d'orange.

Chabis Sussex goat cheese : ce petit fromage de chèvre de forme
cylindrique est fabriqué par Kevin et Alison Blunt dans l'est du Sussex, en
Angleterre. Le lait cru lui donne une texture crémeuse qui fond dans la
bouche. Sa saveur est douce avec des accents caprins.

Tomates au chabichou

*Évidez 12 moitiés de tomates et disposez-les sur un lit de feuilles
de salade. Hachez une botte de cresson et mélangez-le avec 4 brins
de ciboule hachés, 12 grains de raisin épépinés et hachés et 1
ou 2 petits fromages de chèvre coupés en petits morceaux.
Liez le tout avec du yaourt nature et garnissez les tomates
avec cette préparation.*

RECETTE

Chaource

*C*e fromage à pâte molle de la région champenoise porte le nom de sa ville d'origine. Il est délicieusement riche à tous les stades de son développement et se marie à merveille avec le célèbre vin de la région.

Le chaource se présente sous forme de cylindres de 500 ou 250 g ; il possède une croûte blanche comestible, parfois pigmentée de taches rouges. Les fromages AOC sont fabriqués dans de petites laiteries avec du lait cru. Les autres fromages sont produits industriellement avec du lait pasteurisé.

Chez les jeunes fromages, la pâte est de couleur jaune clair et de texture crayeuse. En vieillissant, elle devient très coulante près des bords et un peu moins vers le cœur. Les jeunes fromages ont une saveur riche et douce qui devient noisetée avec le temps.

Servez-le tartiné sur des toasts ou des muffins, ou en dessert avec des fruits d'été. Goûtez-le, fondu, sur des pommes de terre en robe de chambre.

lait	lait de vache non pasteurisé
variété	pâte molle, croûte fleurie
mat. grasse	50 %
affinage	2 à 8 semaines
saveur	douce
vin	champagne ou bon bourgogne rouge

Cheddar

*L*e cheddar, fromage le plus fabriqué au monde, reçoit souvent l'appellation peu flatteuse de «fromage pour piège à souris». En réalité, le cheddar de qualité supérieure, fermier ou laitier, est excellent, mais les fromages de production industrielle sont fades et caoutchouteux.

Une petite quantité de vrai cheddar fermier est encore fabriquée dans la région de Cheddar et dans le sud-ouest de l'Angleterre. C'est un fromage de forme cylindrique qui pèse jusqu'à 30 kg et que l'on emballe dans de la toile pour obtenir une jolie croûte dure gris-brun. L'affinage dure de 6 à 18 mois.

Le cheddar a une pâte de texture lisse et assez dure qui ne doit ni céder sous la pression du doigt, ni s'émietter. De couleur jaune d'or, elle fonce légèrement en cours de maturation. Sa saveur est assez douce au début, végétale, avec une touche de noisettes, souvent avec une pointe de salinité. En vieillissant, le goût de noisettes s'affirme et gagne en piquant. Les plus vieux fromages attaquent la langue avec leur acidité saline.

Au bout d'un an environ, ces fromages font de petits cristaux qui craquent sous la dent. Ce ne sont

ci-contre : *aubergines et tomates gratinées.*

lait	lait de vache
variété	pâte dure, pressée, croûte sous toile
mat. grasse	de 45 à 48 %
affinage	de 3 mois à 3 ans
saveur	douce à prononcée
vin	chianti ou zinfandel californien

pas des cristaux de sel comme on le prétend parfois, mais des cristaux de caséine résultant d'un phénomène parfaitement naturel. Ces cristaux peuvent être très prononcés dans les fromages qui sont restés deux ou trois ans en cave, comme ceux de Nouvelle-Zélande.

Un bon cheddar fermier mérite d'être servi seul, avec des crackers et des bâtonnets de céleri. Le cheddar est aussi l'ingrédient de base du *ploughman's lunch* traditionnel (voir page 42), ce plat servi dans les pubs de Grande-Bretagne, composé de fromage, de pain et de salade. En accompagnement, choisissez des pickles de bonne qualité ou confectionnez-les vous-même.

Le cheddar fond facilement et entre dans la composition de nombreux mets. Une petite quantité de fromage vieilli à point parfume à merveille n'importe quel plat sans en masquer la saveur ; il est préférable de râper le fromage avant de l'ajouter aux autres ingrédients.

Un bon cheddar conservera sa saveur initiale pendant au moins deux semaines si vous l'enveloppez de film fraîcheur ou le mettez dans une boîte en plastique avant de le remiser au réfrigérateur. Si vous voyez des moisissures se développer sur le fromage, grattez-les.

À la ferme, le cheddar est fabriqué avec du lait entier cru ou pasteurisé. On utilise une culture bactérienne, puis de la présure pour faire coaguler le lait et obtenir le caillé. Celui-ci est ensuite découpé en morceaux de la taille d'un petit

ci-contre : *top paddock cheddar.*

pois et chauffé à feu très doux. Une fois le petit-lait écoulé, le caillé forme une masse compacte. Il est alors découpé en blocs de la taille d'un parpaing, empilés les uns sur les autres et retournés de façon à être égouttés le mieux possible. C'est ce procédé, appelé « cheddaring », qui donne au fromage sa texture particulière. Pour finir, le caillé est à nouveau broyé, puis salé, moulé et pressé. Les producteurs traditionnels emballent le fromage dans de la toile avant de le stocker. D'autres façonnent de gros blocs et les enveloppent dans du plastique.

Si le fromager connaît vraiment son travail, le goût du fromage sous plastique sera différent de celui du fromage sous toile, mais également très bon. Le cheddar industriel se présente presque toujours sous forme de blocs. Il est parfois excellent, mais souvent peu goûteux.

En sus du cheddar ordinaire, certaines laiteries produisent maintenant une grande quantité de fromages aromatisés avec toutes sortes d'ingrédients : cumin, persil, grains de poivre, bière, ail, persil, noisettes, raisins secs et pickles doux. Le Red Windsor, par exemple, est parfumé au vin de baies de sureau. Certains fromages sont fumés ou mélangés avec d'autres fromages.

Allumettes au cheddar

Dégustez ces délicieuses allumettes dans les deux jours qui suivent leur confection. Tamisez une tasse de farine complète dans un saladier ; assaisonnez de moutarde lyophilisée et de sel. Mélangez 6 cuillerées à soupe de beurre et ajoutez une tasse de cheddar Lye Cross râpé. Ajoutez un œuf battu et un peu de lait, mélangez jusqu'à obtention d'une pâte évoquant la pâte à tarte. Abaissez-la au rouleau à pâtisserie et découpez des bandes de la taille d'un boudoir. Disposez-les sur une plaque et faites cuire 10 minutes au four réglé à 190 °C/therm. 5. Servez les allumettes chaudes ou froides, seules ou avec une sauce.

RECETTE

English farmhouse cheddar : très rares sont les établissements qui produisent du cheddar avec du lait cru. Dans le Somerset, on met du cheddar Keen's Mature qui offre un arôme frais de noisettes et une saveur salée et noisetée, prononcée sans être dominante. Il arrive que le fromage vieux de 12 à 18 mois développe des cristaux de caséine et même des veinures bleues. Le cheddar Montgomery, originaire d'une ferme proche de Yeovil et lauréat de nombreux prix, est un fromage encore plus riche. Il possède un arôme vraiment épicé et une saveur merveilleusement pleine. Le cheddar biologique Lye Cross est également fabriqué dans le Somerset, mais avec du lait biologique pasteurisé. Affiné pendant un an, il offre un agréable arôme acidulé. Il est très parfumé, avec des accents de noisettes et de citron. Le cheddar Quicke du Devon est fabriqué à plus grande échelle, à la fois avec du lait cru et du lait pasteurisé. Les techniques traditionnelles ont été pour une bonne part conservées, mais ces fromages n'ont pas toujours le goût des cheddars Keen et Montgomery.

Fromages de type cheddar : de très bons fromages sont fabriqués d'après les recettes du cheddar, mais en dehors de la région d'origine du cheddar. Ils sont différents des cheddars de la région occidentale, mais néanmoins excellents. Le Lincolnshire Poacher est l'un d'entre eux. Il est fait avec du lait cru, sa texture est assez dure, son arôme et sa saveur sont pleins et prononcés, avec un goût presque doux-amer. Un autre exemple est le Tyn Grub du sud du pays de Galles. Ce fromage est plus végétal et acide que la majorité des cheddars.

Scottish farmhouse cheddar : Jeff Reade, sur l'île de Mull, fait avec le lait cru de son propre troupeau un excellent fromage artisanal de type cheddar, à la texture très dense, au goût affirmé et épicé.

Dunlop : le dunlop est un fromage laitier très proche du cheddar mais généralement de couleur plus pâle, de texture plus légère et plus moelleuse. Il n'a pas le piquant caractéristique de la plupart des cheddars.

Aran et orkney : ce sont des fromages de type dunlop faits sur les îles d'Aran et dans les Orcades. Un des producteurs d'orkney traditionnel fait un fromage qui ressemble plus au dale (voir page 112), même s'il est peut-être un peu plus dur et plus fort.

Cheddar américain : la plupart des cheddars vendus aux États-Unis sont de fabrication industrielle et commercialisés sous l'étiquette «American». Ils se présentent sous des formes et des tailles variées et sont colorés en orange foncé ; leur croûte est souvent recouverte de paraffine noire, rouge ou orange. Le Coon est un cheddar hybride laitier fabriqué essentiellement dans le Middle West. Le Tillamook est l'un des rares cheddars laitiers produits en Amérique à être réellement goûteux ; il est fabriqué par la Tillamook Cheese Company dans l'Oregon. Il existe des fromages colorés au rocou et d'autres non colorés, ainsi qu'une gamme de fromages d'âges différents. Le Tillamook Vintage est affiné pendant 18 mois. Cependant, quelques petits producteurs font du bon cheddar, certains avec du lait cru. Parmi eux, citons la Loleta Cheese Factory et la Vella Cheese Company en Californie, ainsi que la Rogue River Valley Creamery dans l'Oregon. Trois autres fromageries produisant du cheddar de première catégorie sont installées dans le Vermont : la Cabot Creamery (demandez le Cheddar Private Broth vieux de 2 ans), la Grafton Village Company, qui propose un autre cheddar excellent de 2 ans, et la Shelburne Farm.

Cheddar canadien : bien qu'il soit principalement fabriqué en laiterie industrielle, le cheddar canadien est bon. Black Diamond est la marque la plus connue hors du Canada.

Cheddar australien : comme le cheddar d'Amérique du Nord, la majeure partie du cheddar australien est de fabrication industrielle et manque souvent de saveur. Le Coon est un cheddar australien, et le Cheedam est issu d'un croisement entre le cheddar et l'édam. Top Paddock, petit producteur de Bena dans l'État de Victoria, fabrique un cheddar qui est affiné pendant neuf mois et développe une saveur pleine et intéressante.

Cheddar de Nouvelle-Zélande : comme le Canada, la Nouvelle-Zélande produit un cheddar industriel d'excellente qualité. Les Néo-Zélandais préfèrent le cheddar jeune, mais la Anchor Food Company expédie une grande partie de ses meilleurs fromages vers le Royaume-Uni où ils sont affinés un ou deux ans de plus ; on obtient ainsi des fromages vieux de deux, voire trois ans à la délicieuse saveur pleine et fruitée, avec une touche de caramel et d'épices.

Cheshire

*C*e pourrait bien être le plus vieux fromage anglais, sa première apparition attestée datant de l'époque romaine. Il est fabriqué dans le Cheshire mais aussi dans certaines fermes (rarement) et grandes laiteries du Shropshire et du Staffordshire. Le cheshire de fabrication industrielle se présente souvent sous la forme de gros blocs ; on note une différence substantielle de qualité entre le fromage laitier et le fromage fermier.

Le cheshire fermier est produit en meules de 18 kg qui sont paraffinées ou enveloppées de toile comme le cheddar. Essayez de trouver des fromages de Overton Hall, Molington Grange Farm et Abbey Farm. Cette dernière fabrique le seul cheshire entoilé au lait cru commercialisé aujourd'hui.

Le cheshire présente une texture aérée et friable, beaucoup plus tendre que celle de nombreux autres fromages à pâte dure. Le white cheshire (blanc) est pâle alors que le red cheshire (rouge) présente une couleur

lait	lait de vache
variété	pâte dure, pressée, sous toile
	et paraffiné
mat. grasse	de 45 à 48 %
affinage	4 à 8 semaines
saveur	douce mais légèrement piquante
vin	meursault ou cabernet-sauvignon

pêche provenant du rocou (substance colorante végétale). Les deux variétés ont un goût peu relevé et légèrement salé que l'on attribue à la terre salée de la plaine du Cheshire. Les fromages acquièrent un goût plus affirmé en vieillissant.

Servez le cheshire à n'importe quel moment de la journée, en snack avec des fruits ou des crudités, sur un plateau de fromages, ou avec des pickles doux, des radis et du céleri en branches. Le cheshire se servait traditionnellement avec le cake. Il convient bien aux plats cuisinés nécessitant d'être légèrement parfumés au fromage. Le cheshire se marie bien avec les œufs, n'hésitez donc pas à en mettre dans vos soufflés.

À l'inverse du cheddar, le cheshire se conserve mal ; achetez uniquement la quantité nécessaire à votre consommation immédiate. Évitez de choisir un morceau sec et craquelé, ou qui transpire énormément.

V A R I A N T E S

Blue cheshire : le cheshire devient facilement bleu ; les versions bleues, appelées «green fade», avaient un aspect et une saveur très riches. Malheureusement, leur production s'est interrompue en 1997, et à ce jour, aucun autre producteur n'a repris le flambeau.

Gospel green : ce fromage goûteux à texture aérée, assez semblable au cheshire, est fabriqué par James et Cathy Lane dans le Surrey. Il a un arôme végétal et une saveur pleine.

Welsh rarebit

À l'origine, le fromage utilisé pour préparer le welsh rarebit était du cheshire. Mettez 2 cuillerées à café de beurre dans une casserole avec 1 cuillerée à soupe de farine et 25 cl d'un mélange à parts égales de lait et de bière. Portez à ébullition en remuant constamment avec un fouet métallique jusqu'à ce que le mélange épaississe. Laissez cuire 2 minutes de plus et incorporez 100 g de cheshire râpé, 1 cuillerée à café de moutarde et un peu de poivre de Cayenne. Tartinez cette préparation sur 4 toasts et faites dorer au gril.

RECETTE

Chèvre

France

*C*hèvre est un terme générique servant à désigner les fromages de chèvre français. Dans ce répertoire, certains sont cités sous leur propre nom. Il existe des chèvres de formes et de dimensions multiples, mais sur de nombreux marchés, le chèvre est symbolisé par la bûche, d'un diamètre variant de 5 à 8 cm et entourée d'une fine croûte blanche.

La pâte, très blanche, de texture molle, très légèrement granuleuse se tartine aisément. Sa saveur est douce et à peine salée, même si elle est plus prononcée pour certains fromages, avec une note de moisissures.

Servez-le en rondelles avec une baguette de pain croustillant ou sur un petit pain que vous faites à peine dorer. Servez-le aussi avec des salades assaisonnées de noix, de câpres ou de fines herbes, le tout arrosé de vinaigrette, ou retirez la croûte et faites-le fondre pour accompagner des plats de pâtes ou de légumes. Le goût du chèvre chaud n'est pas plus prononcé.

ci-dessous : *petit pain au chèvre chaud.*

Il y a littéralement des centaines de fromages de chèvre différents qui n'entrent pas dans une catégorie spécifique. En voici quelques-uns, à la saveur particulièrement agréable. Certains sont typiques de la région dans laquelle ils sont produits.

CHÈVRES FRANÇAIS À PÂTE MOLLE

Charolais : ce fromage de Bourgogne se présente sous la forme de petits cylindres hauts et se vend à divers stades de son développement, de frais à vieux. On le trouve sur les marchés régionaux.

Mothe-saint-héray : ce bon fromage laitier est affiné pendant deux semaines entre des feuilles de vigne ou de platane.

Selles-sur-cher : ce petit fromage en forme de disque vient de la vallée du Cher. Il se distingue par une croûte cendrée qui contraste avec la blancheur de la pâte. C'est un fromage moelleux et humide, à la saveur douce teintée de moisi. En mûrissant, sa pâte devient plus ferme et son goût plus prononcé (voir aussi page 202).

CHÈVRES BRITANNIQUES À PÂTE MOLLE

Gedi : fromage doux et crémeux, nature ou enrobé de fines herbes, fabriqué dans le Hertfordshire.

Innes : fromage fermier frais au lait cru fabriqué dans le Staffordshire.

Mine-gabhar : un fromage affiné tendre, à croûte naturelle fleurie, fabriqué dans le comté de Wexford en Irlande.

Perroche : un fromage du Kent, frais et très doux. Sa subtile saveur citronnée se marie bien avec l'estragon qui constitue son habillage. Existe également enrobé d'autres herbes.

Tymsboro : fromage cendré en forme de pyramide tronquée fait avec du lait cru. La pâte se ramollit près du bord et reste crayeuse au milieu. Il a une agréable saveur de moisi.

Vulscombe : fromage frais au lait cru sans présure, légèrement pressé.

Wigmore : un fromage délicat fait avec du lait cru par Anne Wigmore dans le Berkshire. Affiné en 8 semaines, il fabrique une croûte grise «plissée» caractéristique. La pâte, de texture souple, a une saveur fraîche et crémeuse.

CHÈVRES AMÉRICAINS

Coach Farm : cet établissement, installé dans l'État de New York, produit une excellente gamme de fromages frais à pâte molle de forme et de taille variées. Les fromages jeunes sont moelleux et friables, certains sont enrobés d'herbes ou d'épices – cumin ou grains de poivre.

Cypress Grove : cette ferme du nord de la Californie produit des fromages frais et affinés. Les plus vieux ont un goût intéressant, épicé et noiseté.

Fromagerie Belle Chèvre : cet établissement sis en Alabama produit des fromages lauréats de nombreux prix.
Demandez les bûches de chèvre et le chèvre de Provence.

CHÈVRES AUSTRALIENS

Demandez les fromages de Gabrielle Kervella à Fromage fermier, Gidegannup, en Australie-Occidentale. Gabrielle est venue en France s'initier à l'art de la fabrication du chèvre ; elle possède maintenant son propre troupeau de chèvres laitières.

ci-dessus : *Mine-Gabhar.*

lait	lait de chèvre
variété	pâte molle, croûte blanche fleurie
mat. grasse	45%
affinage	non
saveur	douce
vin	sauvignon blanc

Colby

Wisconsin, États-Unis

*I*nventé à la fin du XIXᵉ siècle, ce fromage laitier jouit maintenant d'une grande popularité aux États-Unis. Son goût ressemble à celui du cheddar ordinaire, mais il a une texture plus souple et aérée, parfois presque ajourée. Comme la plupart des cheddars américains, il est souvent coloré en jaune-orange foncé ; sa saveur est douce et légère.

Le crowley, fabriqué dans le Vermont, est peut-être le colby le plus goûteux. Il se mange jeune (deux mois) ou affiné (jusqu'à un an). On peut utiliser le colby à la place du cheddar si l'on souhaite un goût moins affirmé ; c'est un fromage qui s'emploie beaucoup dans les sandwiches.

VARIANTE

Longhorn : c'est le nom donné aux colbys entiers de forme conique allongée.

lait	lait de vache
variété	pâte dure, pressée
mat. grasse	45 %
affinage	2 mois
saveur	très douce
vin	zinfandel californien

Comté

Nord-est de la France

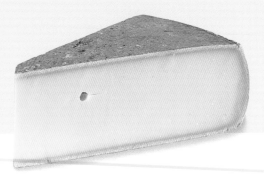

*C*et ancien fromage français, également appelé « gruyère » de comté, est produit dans la région qui s'étend des Vosges à la Haute-Savoie. Il est fabriqué dans de petites laiteries, à partir de lait cru. Des établissements spécialisés (affineurs) surveillent l'affinage des fromages, qui dure un an ou plus.

Produit sous la forme de grosses meules de 40 kg, ce fromage possède une fine croûte beige qui s'épaissit et durcit en cours de maturation. La pâte couleur de paille présente parfois quelques yeux et a tendance à se fissurer à la coupe.

Ce fromage dégage un merveilleux arôme floral ; les fromages plus vieux offrent des saveurs de caramel aux noisettes. Le goût est fort en noisettes et s'atténue sur une agréable note salée. Les plus vieux fromages ont un caractère rustique affirmé. Servez le comté après dîner avec des fruits, ou mettez-le dans des sandwiches avec du jambon froid ou du salami.

lait	lait de vache non pasteurisé
variété	p. dure, cuite et pressée, croûte naturelle brossée
mat. grasse	45 %
affinage	5 à 12 mois
saveur	modérément forte
vin	chianti ou rioja

Cornish Yarg

Cornouailles, Angleterre

*C*et appétissant petit cornish doit à un habillage unique de feuilles d'orties locales son léger goût végétal. On utilisait jadis couramment les orties de cette façon en Cornouailles, mais cette pratique est tombée en désuétude au XIXᵉ siècle. « Yarg » est simplement le mot anglais « gray » écrit à l'envers. Gray était le nom du fromager qui a inventé ce fromage à partir de vieilles recettes trouvées dans un grenier.

Les orties donnent au fromage une croûte vert-gris qui contraste avec la blancheur de la pâte. Sa texture est comparable à celle du caerphilly, mais sa saveur diffère. Le jeune fromage est frais et citronné, avec une touche de fines herbes. Les fromages plus vieux perdent peu à peu leur saveur citronnée et développent des notes plus aromatiques, poivrées et végétales.

Servez ce fromage avec des crackers et vos meilleurs vins. Émiettez-le dans des salades de betteraves et de pommes, ou saupoudrez-le sur un gratin de courgettes.

lait	lait de vache
variété	pâte dure, pressée, affinée en moule, croûte enrobée d'orties
mat. grasse	57 %
affinage	6 à 8 semaines
saveur	douce
vin	un bon bordeaux ou bourgogne rouge

Coulommiers

Centre de la France

Ce fromage proche du brie est essentiellement fabriqué en laiterie, près de Paris. Il n'existe pas de recette fixée pour le coulommiers ; celui-ci n'a donc jamais bénéficié d'une appellation d'origine.

Le coulommiers possède une croûte blanche fleurie, souvent irrégulière, qui se pigmente de marbrures brunes en cours de maturation. Il exhale un vague arôme de champignons ; le fromage jeune a une saveur assez douce et délicate, qui devient plus affirmée en cours d'affinage. Servez-le seul avec du raisin ou utilisez-le comme le brie.

VARIANTE

Sharpham : ce fromage primé est fabriqué à Totnes dans le Devon, avec du lait cru de vache jersiaise. Disponible en diverses grosseurs, il est affiné à la ferme pendant cinq semaines avant d'être vendu.

lait	lait de vache
variété	pâte molle, croûte fleurie
mat. grasse	45 %
affinage	1 mois
saveur	douce
vin	côtes-du-rhône modérément corsé

Fromage blanc

Universel

$\mathscr{C}$e terme générique désigne tous les fromages frais dont la teneur en matière grasse varie de faible à forte. Il est de fabrication artisanale ou industrielle. Le fromage blanc possède une texture butyreuse et moelleuse et se tartine facilement. Sa riche saveur évoquant souvent le beurre est agrémentée d'un léger goût piquant.

Ce fromage se sert seul, sur des canapés ou avec des salades. Utilisez-le dans la cuisine pour enrichir des sauces, des soupes, des mousses et des farces. C'est également l'ingrédient principal du cheesecake, sorte de flan au fromage blanc, sucré ou salé, que l'on peut faire cuire au four ou simplement faire prendre au réfrigérateur.

Cheesecake salé

Chemisez de pâte un moule à gâteau de 20 cm de diamètre. Chauffez 1 cuillerée à café de beurre, ajoutez un gros oignon émincé et faites-le revenir jusqu'à ce qu'il soit tendre. Battez 4 œufs. Mélangez 250 g de fromage blanc avec les oignons, des brins de ciboulette hachés, du poivre et du sel. Incorporez ce mélange aux œufs et transférez le tout dans le moule. Faites cuire 40 min au four à 180 °C/therm.4.

VARIANTES

Mascarpone : cette spécialité italienne n'est pas vraiment un fromage – aucune culture bactérienne ou présure n'entre dans sa fabrication. Au lieu de cela, la crème est mélangée avec du jus de citron ou de l'acide citrique et suspendue dans un sac en étamine pour permettre à l'eau de s'écouler. Le mascarpone était fabriqué directement dans la boutique de l'épicier qui le vendait alors qu'il était encore en sacs. Aujourd'hui, il est généralement fabriqué en usine, à la centrifugeuse, et emballé dans des boîtes scellées. Le mascarpone possède une texture et un goût crémeux (cette pâte onctueuse servie à la cuillère ne doit présenter aucun grumeau). Il se marie avec la plupart des mets, salés ou sucrés. En Italie, il remplace la crème fraîche épaisse. Le mascarpone est un ingrédient essentiel à la confection du célèbre dessert italien, le tiramisu, fait avec des biscuits à la cuiller trempés dans du café, des jaunes d'œufs, du cacao et du marsala.

Caboc : fromage blanc riche enrobé de farine d'avoine et fabriqué en Écosse.

Neufchâtel : nom commercial donné au fromage blanc fabriqué dans le nord-ouest et le centre-ouest de l'Amérique. Il est sans aucun rapport avec le fromage français AOC du même nom originaire de Normandie.

Philadelphia : marque américaine de fromage blanc pasteurisé maintenant commercialisé dans le monde entier.

lait	crème de lait de vache
variété	pâte molle, fraîche
mat. grasse	de 45 à 65 %
	et plus
affinage	non
saveur	douce
vin	pinot noir

Crottin de Chavignol

Centre de la France

*L*es chèvres qui fournissent le lait pour la fabrication du crottin de Chavignol paissent à proximité des vignobles de Sancerre dans la vallée de la Loire. Protégé par une appellation d'origine contrôlée, le véritable crottin est fabriqué uniquement dans le village de Chavignol. Toutefois, on trouve de l'excellent crottin de chèvre dans les villages environnants.

Produit sous la forme de petites timbales de 60 g, ce fromage a une croûte blanche qui fonce en cours de maturation et passe de bleu-gris à brun. La pâte est très blanche et ferme, crémeuse au début et plus dure en vieillissant. Sa saveur est légèrement siliceuse, avec une pointe de noisettes, et devient plus relevée avec le temps.

Servez-le avec d'autres fromages, ou seul avec du pain complet croustillant. Coupez-les crottins en deux et faites-les griller sur des toasts ronds pour l'apéritif ou en accompagnement de salades, ou bien faites-les cuire entiers au four et servez-les avec une bonne sauce.

Le mot « crottin » fait référence à la couleur brune du fromage vieux ; c'est ainsi que les gens de la région le savourent.

lait	lait de chèvre
variété	pâte molle, croûte naturelle
mat. grasse	45 %
affinage	2 à 3 mois
saveur	douce à modérée
vin	sancerre rouge ou blanc

Cottage cheese

Universel

*C*es termes désignent les caillés traditionnels que l'on obtient en faisant aigrir le lait frais ou en emprésurant du lait pasteurisé et en égouttant le caillé. Aujourd'hui, ils désignent également les laitages de fabrication industrielle, comme le fromage frais, le quark et le cottage cheese grenu.

Ces fromages ont de multiples usages. Servez-les avec toutes sortes de pains, avec des salades, sur du pain grillé suédois, avec des fruits, en particulier des pommes ou des poires, ou incorporez-le à des crèmes pour tremper des bâtonnets de légumes à l'apéritif (voir ci-dessous), ou bien confectionnez des crèmes à tartiner aux fines herbes.

Même si certains produits sont très crémeux, dans la cuisine, ils se comportent tous comme des fromages, c'est-à-dire qu'ils se mélangent bien pour préparer des sauces et des soupes onctueuses. Toutefois, si on les chauffe au-delà d'une certaine température, ils se brisent car la protéine du lait se détache de la crème. À utiliser pour faire des farces, des tartes et des cheesecakes, ou pour remplacer les fromages double crème.

ci-contre : *sauce aux œufs de cabillaud.*

Cottage cheese : c'est un fromage composé de granules de caillé qui se sert à la cuillère. En général, il est fabriqué avec du lait écrémé. Il a une forte teneur en calcium et une faible teneur en matière grasse. Tous les cottage cheeses ont une saveur plutôt douce.

Farmer's curd cheese : il est crémeux ou grenu selon la teneur en matière grasse. C'est un produit local, vendu à la ferme. Le scottish crowdie est un fromage frais fermier caillé avec de la présure. Il est pauvre en matière grasse et friable, mais plus moelleux que le cottage cheese, avec une agréable pointe de citron. Il est parfois parfumé, comme le hramsa avec de la crème et de l'ail sauvage et le gruth dhu avec de la crème, puis enrobé de grains de poivre et de flocons d'avoine.

Fromage frais : c'est le nom générique donné à toute une gamme de fromages français à pâte fraîche et molle. Le fromage frais est souvent fabriqué en laiterie avec une culture bactérienne seule ou additionnée de présure. La teneur en matière grasse varie de 0 à 60 % ; c'est un fromage très moelleux, crémeux, au goût très doux.

Paneer : c'est une forme très simple de caillé pressé, traditionnellement fabriqué par les familles indiennes et qui entre dans la composition des currys végétariens. Il est maintenant fabriqué en laiteries dans d'autres régions du monde. Il a une texture relativement ferme et un goût assez fade qui permet de l'aromatiser facilement.

Quark : c'est le nom allemand du caillé et également le fromage le plus populaire d'Allemagne. En effet, le quark est l'équivalent de notre fromage blanc. Il est fabriqué en usine selon plusieurs méthodes (mentionnons le système à centrifugeuse pour séparer le caillé du petit-lait). Comme pour le fromage frais, sa teneur en matière grasse varie de 0 à 60 %, mais il est épais et onctueux, avec une texture qui emprunte à la fois au yaourt et au fromage blanc à la crème. Le quark est de couleur blanche, il a une saveur douce, parfois teintée d'une pointe d'acidité.

Demi-sel et petit-suisse : ce sont des variétés de fromage blanc plus fermes et plus riches en matière grasse.

Vulscombe : fromage de chèvre anglais, légèrement pressé et non emprésuré.

Dales

*C*es fromages fermiers fabriqués selon de vieilles recettes originaires des Dales, vallées situées au nord de la chaîne des Pennines, sont redevenus très en vogue ; le cotherstone (photo ci-dessus) en fait partie.

VARIANTES

Cotherstone : ce fromage, qui a jadis connu son heure de gloire, est à nouveau fabriqué à Teesdale avec du lait cru. Joan Cross produit un fromage friable qui est également tendre et moelleux. Il se déguste après deux ou trois semaines d'affinage ; il a une saveur aigrelette rafraîchissante et butyreuse. Certains fromagers préfèrent le laisser vieillir plus longtemps pour obtenir une pâte plus ferme au goût prononcé.

Coverdale : ce fromage refait son apparition après une absence de cinquante ans ; il est fabriqué par la maison Fountains Dairy Products à Ripon. C'est un fromage en forme de cylindre haut, enrobé de toile. Au bout d'un mois d'affinage, on obtient un dale cheese typique, tendre et friable, avec un léger goût acidulé ; certains coverdales sont aromatisés à la ciboulette.

Ribblesdale : c'est un fromage moelleux à la pâte aérée qui fond dans la bouche. Il possède une saveur crémeuse. Il est parfois fumé ou parfumé à l'ail.

Swaledale : ce fromage est comparable au wensleydale, mais plus tendre et au goût plus citronné. Il existe aussi des versions fumées au bois de chêne et aromatisées aux fines herbes et à la bière.

Danish blue

*L*es Danois ont inventé ce fromage – également connu sous le nom de «danblu» – en 1927, en réponse au roquefort. Bien qu'il soit assez différent du célèbre bleu français, il remporte néanmoins un immense succès commercial et se vend dans le monde entier.

Le danish blue est fabriqué en usine avec du lait pasteurisé qui a été homogénéisé pour obtenir un caillé onctueux et un goût défini. Il n'a pas de croûte et se vend en morceaux prédécoupés, emballés dans du papier d'aluminium. La pâte est blanche, veinée de bleu et parsemée de trous. Elle est tendre, un peu friable, mais facile à trancher. Sa saveur est forte et salée.

Servez-le sur des toasts ou dans des sandwiches avec du jambon, de la salade et des tomates. Mélangez-le avec du beurre pour faire une pâte à tartiner piquante ou émiettez-le dans des sauces de salade. Le danish blue s'utilise en cuisine, mais avec parcimonie ; il ne sera peut-être pas nécessaire de rajouter du sel. Essayez-le dans les quiches, les soupes et les sauces pour accommoder les brocolis et le chou.

ci-contre : *sauce à crudités faite de danish blue, de ricotta et de fromage frais.*

lait	lait de vache homogénéisé
variété	pâte demi-dure, persillée, pressée
mat. grasse	50 à 60 %
affinage	7 à 8 semaines
saveur	forte et salée
boisson	schnaps

VARIANTES

Layered blue : le danish blue est parfois mélangé, en couches super-posées, avec du fromage blanc à la crème et façonné en bûche. C'est un fromage appétissant, utile pour composer un plateau ; il adoucit le goût salé du danish blue.

Jutland et mellow blue : ils ont une teneur en matière grasse plus élevée que celle du danish blue et une saveur plutôt douce.

Saint-Agur : fromage français de fabrication industrielle qui ressemble au danish blue, bien qu'il ait une saveur plus douce et moins salée.

Blue : terme générique servant à désigner les bleus industriels améri-cains. Ils ressemblent au danish blue, avec une saveur affirmée, mais cependant assez monotone.

Truffes salées

Écrasez 100 g de biscuits secs et mélangez-les avec une même quantité des ingrédients suivants : fromage à pâte molle, édam râpé et danish blue émietté. Ajoutez 60 g de dattes et de noix hachées, et un peu de zeste d'orange. Si le mélange est trop compact, ajoutez un peu de mayonnaise. Façonnez de petites boules et enrobez-les de grains de sésame, de pavot et de fines herbes hachées. Servez sur des piques à cocktail.

RECETTE

Edam

*B*ien qu'il ait une longue histoire, le véritable édam fermier a disparu en emportant ce qui faisait son caractère original, plutôt corsé. L'édam actuel est un fromage de fabrication industrielle, au goût agréable mais plutôt fade.

L'édam est connu pour son enveloppe de paraffine rouge, réservée aux fromages destinés à l'exportation. L'édam vendu sur le marché intérieur possède une mince croûte naturelle jaune. La pâte jaune est ferme mais élastique, sans être pour autant aussi souple que celle du gouda laitier jeune. L'édam présente un arôme légèrement épicé et un goût pur, avec une saveur légèrement salée qui s'attarde sur le palais.

L'édam est fabriqué avec du lait pasteurisé partiellement écrémé ; en conséquence, sa teneur en matière grasse est relativement peu élevée. Aux Pays-Bas, l'édam est servi en fines tranches au petit déjeuner, mais également seul en guise de snack ou dans des salades.

lait	lait de vache partiellement écrémé
variété	pâte dure, pressée, croûte naturelle
mat. grasse	40 %
affinage	6 à 8 semaines
saveur	douce
vin	syrah ou shiraz corsé

Emmental

Centre de la Suisse

$\mathcal{C}$ommunément appelé « gruyère », l'emmental fait l'objet de nombreuses imitations. Il est originaire des prairies de la vallée de l'Emme, près de Berne ; les fermiers le fabriquent depuis 1923. À cette époque, le fromage était fait dans les chalets d'alpage où les troupeaux passaient l'été, mais aujourd'hui il est également fabriqué en plaine.

L'emmental est un des plus gros fromages au monde. Chaque meule de fromage est fabriquée artisanalement avec du lait cru. Il faut compter, pour un seul fromage, plus de 1 200 litres de lait. Il possède une croûte lisse caractéristique, de couleur jaune pâle. La pâte souple, à l'agréable coloration jaune pâle, est percée de trous dont la taille va de celle d'une cerise à celle d'une noix ou même d'une balle de golf. Un bon emmental exhale un arôme merveilleusement riche de prairies et de fleurs, avec des notes de raisins secs et de feu de bois. Sa saveur forte et fruitée se termine sur une note boisée.

lait	lait de vache non pasteurisé
variété	pâte demi-dure, cuite et pressée, croûte naturelle brossée et huilée
mat. grasse	45 %
affinage	4 à 12 mois
saveur	douce à modérée
vin	syrah ou shiraz corsé

L'emmental est délicieux servi seul. Faites comme les Suisses, coupez-le en tranches minces et servez-le au petit déjeuner, ou bien au déjeuner ou au dîner avec un assortiment d'autres fromages. Il est également excellent détaillé en cubes dans les salades avec des champignons, des cornichons, des poivrons rouges et verts et des brins de ciboule émincés. Vous l'apprécierez aussi fondu sur des toasts ou des petits pains, ou sur des croque-monsieur. L'emmental affiné fond mieux que l'emmental jeune et sa saveur est meilleure dans les plats cuisinés ; cependant, il est assez filandreux. Utilisez-le dans les gratins, les sauces et les fondues.

L'emmental se fabrique en mélangeant le lait de la traite du matin avec celui de la veille. Une culture à base de ferments proprioniques – favorisant la production des trous – et de la présure sont ajoutées au lait qui coagule en une demi-heure. Le caillé est ensuite rompu avec un instrument spécial appelé « harpe à fromage ». Il est ensuite chauffé et soumis à un brassage intense jusqu'à obtention de grains durs et secs, puis versé dans un grand sac en étamine et enfin dans une presse à fromage. Le lendemain, le fromage est plongé dans un bain de saumure et mis à égoutter de 10 à 14 jours. Il est ensuite transporté dans des caves de fermentation plus chaudes où les trous commencent à se former.

ci-dessus : *petit pain fourré à l'emmental.*

Pour l'affinage final, les fromages séjournent dans des caves fraîches. Durant tout le processus de maturation, les fromages doivent être retournés régulièrement. Jadis, cette opération s'effectuait manuellement et les fabricants d'emmental jouissaient d'une solide réputation sur tous les rings de lutte. Aujourd'hui, ce travail est réalisé par des machines.

La loi stipule qu'aucun emmental suisse ne doit être exporté avant 4 mois, âge auquel il est encore considéré comme un fromage jeune. La croûte de ces fromages est toujours estampillée du label « Switzerland ».

Emmental français : en France, la région productrice du comté, située près de la frontière suisse, fabrique de l'emmental depuis presque aussi longtemps que les Suisses. Bien sûr, les gens du pays vous diront que c'est eux qui l'on inventé ! La recette de l'emmental français est identique à celle du fromage suisse ; le fromage français tend cependant à présenter une surface plus bombée. L'emmental français est fabriqué en laiterie, mais son goût n'en reste pas moins excellent. Il est plus cher que l'emmental suisse car la demande est telle en France qu'il n'est pas nécessaire d'en exporter.

Allgau emmentaler : c'est la version allemande de l'emmental, fabriquée en Bavière avec du lait pasteurisé. Il est vendu à un âge plus tendre que les autres variétés d'emmental, et son goût n'est pas aussi affirmé.

Emmental autrichien : autre fromage de fabrication industrielle, souvent appelé « gruyère autrichien » ; il est le plus souvent caoutchouteux et sans beaucoup de goût.

Gruyères américain et australien : des imitations locales de l'emmental suisse, comme l'American Swiss Lace, appréciées dans leur pays d'origine ;

Jarlsberg : ce n'est pas un emmental à proprement parler, mais il lui ressemble et a sensiblement les mêmes usages, en particulier aux États-Unis. Il est fabriqué d'après une vieille recette norvégienne remise au goût du jour vers 1950. Il a une texture plus souple que celle de l'emmental, tout en étant parfois très caoutchouteux. La pâte de couleur pâle est percée de gros trous. Son arôme évoque le lait aigre, avec une pointe de noisettes ; son goût est sec et noiseté, avec parfois une note de raisins secs âpres. Il n'a ni le fruité ni la note salée d'un bon emmental.

Svenbo : c'est une version danoise très douce de l'emmental. Il présente une croûte sèche jaune et une pâte jaune pâle avec de gros trous ronds. Sa saveur est légèrement noisetée.

ci-dessus : *jarlsberg.*

English Hard Goat's Cheese

Angleterre

*L*e début des années 1980 a vu naître en Grande-Bretagne une multitude de fromages de chèvre fermiers à pâte dure qui existent toujours à l'heure actuelle. Bon nombre d'entre eux sont fabriqués avec du lait de chèvre. En voici trois parmi les plus connus, avec, en photo, le ticklemore.

VARIANTES

Mendip : Mary Holbrook fabrique ce fromage fermier à Timsbury, dans l'ouest de l'Angleterre, avec du lait cru. Il est mis dans des moules en plastique de 1,3 kg qui laissent un dessin très visible sur la croûte huilée, puis il est affiné de deux à huit mois. Le jeune fromage, dont la pâte crémeuse, jaune pâle, est percée de petits trous, possède un goût légèrement acidulé et fruité.

Ticklemore : ce fromage à pâte dure est fabriqué de manière artisanale avec du lait cru, à Totnes dans le Devon. Il est pressé sous forme de sphères de 2,3 kg dans des moules en osier ; son affinage dure deux mois et demi. Il présente une croûte naturelle dure et sèche et une pâte de couleur blanche à crème, qui fonce près de la croûte. La pâte, légèrement friable, parsemée de petits trous, possède un arôme de champignons cuits et un goût noiseté, avec une pointe de caramel qui se termine sur une agréable note acide. Particulièrement délicieux avec du pain complet.

Cerney village : fabriqué dans le Gloucestershire avec du lait de chèvre pasteurisé, c'est un fromage fermier à la saveur végétale et néanmoins «caprine».

Époisses

C e petit fromage bourguignon, le préféré de Porthos dans *Les Trois Mousquetaires*, fait partie des dix fromages français les plus relevés. On le fait parfois macérer dans du marc de Bourgogne pour obtenir un fromage encore plus fort. L'époisses AOC est fait avec du lait cru.

Ce fromage se présente sous forme de petits disques de 450 g, avec une croûte couleur brique pâle, lavée à l'eau-de-vie locale en cours d'affinage. La pâte est molle et souple. Le fromage a une forte saveur de terroir avec un relent de caoutchouc brûlé et d'ammoniaque exhalé par la croûte. La pâte a une odeur plus atténuée mais toujours avec un puissant arôme acidulé. La saveur, délicieusement rustique, est également crémeuse et rafraîchissante, avec une note de citron aigre qui s'attarde sur le palais.

À cause de son goût très prononcé, il est préférable de servir ce fromage seul et de ne pas l'utiliser en cuisine. Servez-le avec un assortiment

lait	lait de vache
variété	pâte molle, croûte lavée
mat. grasse	45%
affinage	6 à 8 semaines
saveur	relevée
vin	bourgogne rouge

ci-dessus : *un plateau offrant un assortiment de saveurs originales.*

d'autres fromages – bleu d'Auvergne, valençay, Explorateur, tomme de Savoie et banon. Pour tirer le meilleur parti de la saveur exceptionnelle de ce fromage, servez-le simplement sur des crackers nature ou avec une baguette de pain frais.

Lorsque vous achetez ce fromage, vérifiez qu'il remplit bien sa boîte et ne s'est pas rétracté – cela voudrait dire qu'il n'est plus aussi bon. Une fois coupé, l'époisses doit être consommé sur-le-champ car il se conserve mal, même au réfrigérateur, et pourrait dégager des effluves indésirables risquant de parfumer la nourriture stockée à proximité.

ci-dessus : *un époisses frais doit remplir la boîte dans laquelle il est vendu.*

Esrom

Danemark

*I*nventé dans les années trente, ce fromage avait la réputation de ressembler au port-salut – il fut d'ailleurs appelé pendant un temps « Port-Salut danois ». En fait, c'est un fromage beaucoup plus intéressant que le Port-Salut. Dans les années cinquante, on lui donna le nom d'un fromage jadis fabriqué par les moines d'Esrom et oublié depuis des lustres.

L'esrom se présente sous forme de pains rectangulaires emballés dans du papier d'aluminium. La pâte jaune, de texture souple, est parsemée de trous irréguliers. Sa saveur, assez riche et aromatique, semble redoubler d'intensité au contact du palais. Le fromage devient plus relevé en vieillissant, et il est souvent meilleur exporté car plus fait.

lait	lait de vache
variété	pâte demi-dure, croûte lavée
mat. grasse	de 45 à 60 %
affinage	10 à 12 semaines
saveur	modérée
vin	valpolicella

Servez-le en fin de repas avec un assortiment d'autres fromages. Coupez-le en tranches fines et servez-le à la danoise, au petit déjeuner, ou sur des toasts avec des quartiers d'orange et de l'oignon émincé, ou faites-le fondre sur des hamburgers. Bien enveloppé et stocké dans un endroit frais, l'esrom se garde une quinzaine de jours.

Explorateur

Centre de la France

Ce fromage triple crème aristocratique fut inventé en 1958 à l'époque du lancement de la fusée Explorer. Ce nom d'actualité lui fut donné par la laiterie qui le fabriquait ; une image de fusée figure toujours sur l'emballage.

L'Explorateur fut l'un des premiers fromages créés après la définition de la catégorie « triple crème » : fromage avec un pourcentage en matière grasse égal ou supérieur à 75 pour cent. Ce pourcentage élevé s'obtient en ajoutant une grande quantité de crème au lait avant la coagulation.

Le fromage se présente sous la forme de petits disques de 270 g pourvus d'une croûte fleurie mince et duveteuse. La pâte couleur ivoire est crémeuse et très tendre. Sa saveur, riche et douce, se renforce légèrement en cours d'affinage.

Servez-le à la fin d'un repas avec une coupe de fruits frais, ou en en-cas, tartiné sur un morceau de baguette bien fraîche.

lait	lait de vache et crème
variété	pâte molle, triple crème, croûte fleurie
mat. grasse	75 %
affinage	2 semaines
saveur	douce
vin	pétillant sec

Feta

Grèce

$\mathcal{L}$a Grèce consomme tellement de feta qu'elle est obligée d'en importer d'autres pays producteurs, notamment du Danemark. Dans son pays d'origine, la feta était traditionnellement fabriquée avec du lait de brebis, ou parfois avec un mélange de lait de chèvre et de brebis. C'est un fromage au goût particulier qui offre une saveur salée, caractéristique des fromages frais plongés dans la saumure.

Maintenant, on utilise également du lait de vache, et sa saveur diffère. Dans les fromageries grecques, la feta est vendue sous forme de gros pains ou de tranches appelées « fetes », d'où le nom de « feta ». Le fromage n'a pas de croûte, la pâte est blanche et dense mais s'émiette aisément ; elle est parcourue de petits trous et de craquelures. La feta possède un arôme lacté et une texture crémeuse en bouche. Son goût est vif et agréablement salé.

Évitez les fromages ayant séjourné trop longtemps dans la saumure. Ils seront peu goûteux, durs et difficiles à émietter. Les fromages à l'emballage trop serré risquent également de présenter les mêmes défauts. Goûtez la feta avant de l'acheter pour vérifier sa texture.

En Grèce, la feta se consomme à tous les moments de la journée. Au petit déjeuner avec du pain, au déjeuner avec des tomates et des olives, ou seule, en guise d'en-cas. Sinon, émiettez-la sur

lait	brebis, chèvre et vache
variété	fr. frais à pâte dure
mat. grasse	de 40 à 50 %
affinage	1 à 3 semaines
saveur	douce mais salée
boisson	ouzo

des salades, mélangez-la avec des légumes pour confectionner une farce qui servira à garnir des chaussons en pâte filo ou faites des beignets en l'enrobant de chapelure. Si vous la trouvez trop salée, faites-la tremper dans du lait pendant un certain temps avant usage. Il est recommandé de la conserver dans un récipient en plastique avec un reste de saumure.

ci-contre : *la feta, coupée en dés, est idéale dans les salades.*

VARIANTES

Feta danoise et autres fromages de type feta : la plupart sont fabriqués avec du lait de vache pasteurisé et n'ont rien de commun avec la feta grecque.

Feta anglaise : quelques petits producteurs, comme Mary Holbrook à Sleight Farm près de Bath, les Sheperds Purse Cheesemakers dans le Yorkshire et la Sussex High Weald Dairy fabriquent une excellente feta avec du lait de brebis non pasteurisé.

Timboon gourmet feta : c'est une feta biologique primée, fabriquée dans une petite crémerie de l'État de Victoria en Australie.

Feta grillée

Servez-la avec un verre d'ouzo et vous aurez immédiatement l'impression d'être en Grèce. Émiettez une bonne quantité de feta sur du pain pita coupé en deux et grillé sur un côté. Arrosez d'huile d'olive vierge extra et placez deux minutes sous un gril moyennement chaud. Transférez dans des assiettes, nappez d'huile d'olive et de jus de citron. Ajoutez des olives noires et de l'origan frais et servez.

RECETTE

Fontina

*L*a véritable fontina est uniquement fabriquée dans le Val d'Aoste, dans les Alpes italiennes (près du mont Blanc et de la frontière française). Chaque fromage est marqué à son nom et à celui de la coopérative dont il est issu. En été, les fromages sont faits dans les chalets d'alpage, et en hiver dans les laiteries de la vallée.

Il se présente sous forme de meules pesant entre 8 et 18 kg. La fontina a une croûte brun crème, fine et grasse. La pâte du fromage jeune, onctueuse et butyreuse, pourrait presque se tartiner. De couleur paille, elle comporte quelques trous répartis de façon irrégulière. En vieillissant, le fromage fonce et devient plus sec. Le jeune fromage exhale un arôme lactique, avec un léger parfum d'alpage ; le fromage affiné développe un arôme de terre, fruité cependant, avec un goût suave de noisettes et de fruits.

Servez avec du céleri en branches ou du raisin, ou encore sur des toasts. La fontina est un merveilleux fromage pour la cuisine car il devient crémeux en fondant, ce qui est agréable pour confectionner des sauces. La fonduta, version piémontaise de la fondue, est faite avec de la fontina, du beurre, des œufs et des champignons sauvages.

ci-contre : *lasagnes aux épinards avec une sauce à la fontina.*

V A R I A N T E S

Fontinella, Fontella, Fontal : marques déposées utilisées par les grandes laiteries de la vallée du Pô pour désigner leurs fromages ressemblant à la fontina. Ils ont une saveur douce et agréable qui n'a cependant rien à voir avec la vraie fontina.

Fontina danoise : ce fromage enrobé de paraffine rouge, fade et caoutchouteux, est très éloigné de la véritable fontina.

Roth käse fontina : ce fromage, très bon, est fabriqué par une laiterie américaine de Monroe dans le Wisconsin, aux États-Unis.

Gratin de pâtes du Val d'Aoste

Faites revenir de l'ail avec 2 oignons finement émincés. Ajoutez deux aubergines et un fenouil hachés, 2 cuillerées à soupe de purée de tomates et 20 cl de bouillon ; portez à ébullition. Laissez cuire à feu doux 10 minutes environ, jusqu'à ce que les aubergines commencent à s'attendrir. Faites cuire 250 g de fusilli (pâtes) dans de l'eau bouillante pendant 3 à 4 minutes. Chemisez un plat à gratin de papier d'aluminium, en prévoyant suffisamment de papier pour confectionner un couvercle. Versez les pâtes bien égouttées dans le plat, puis la préparation aux aubergines et ajoutez 4 tomates hachées, 200 g de fontina affinée râpée ; salez et poivrez. Recouvrez de papier aluminium sans le mettre en contact avec les pâtes. Mettez au four réglé à 190 °C/therm. 5 et laissez cuire 15 minutes environ.

RECETTE

lait	lait de vache cru
variété	pâte demi-dure, cuite et pressée, croûte brossée
mat. grasse	45 %
affinage	4 mois
saveur	douce
vin	barbaresco ou recioto della Valpolicella

Fourme d'Ambert

Centre de la France

$\mathscr{C}$e vieux fromage français, originaire d'Auvergne, était fabriqué bien longtemps avant le stilton anglais qui lui ressemble beaucoup. Aujourd'hui essentiellement produit en laiterie avec du lait pasteurisé, il a conservé un niveau de qualité fort honorable.

La fourme se présente sous forme d'un cylindre de 20 cm de haut et de 10 à 13 cm de diamètre. Sa croûte gris brunâtre est rugueuse, sa pâte ferme, couleur d'ivoire est parcourue de veinures bleu-vert. Ce fromage exhale un arôme intéressant de noisettes grillées. Savourez la fourme d'Ambert avec des pommes croquantes, ou servez-la avec du porto.

VARIANTE

Fourme de Montbrison et fourme du Forez : ce sont des fromages très comparables, qui proviennent de villages avoisinants.

lait	lait de vache
variété	bleu à pâte demi-dure, légèrement pressée, croûte naturelle
mat. grasse	45 %
affinage	4 à 5 mois
saveur	modérée à forte
vin	côtes-du-rhône

Gaperon

Centre de la France

Ce fromage originaire d'Auvergne se signale par son goût corsé provenant en partie du fromage lui-même, mais aussi de l'ail qui entre dans sa composition. On affinait jadis ces fromages en les suspendant aux chevrons des toits ou à la fenêtre de la cuisine.

Le gaperon, dont la forme est celle d'une boule aplatie à la base, possède une croûte fleurie blanche qui devient jaune paille en vieillissant. Le fromage est ficelé avec du raphia ou du bolduc et porte une étiquette sur le dessus. La pâte, initialement blanche comme de la craie, s'assouplit et prend une couleur d'ivoire en mûrissant. Parfois, pour l'aromatiser, les grains de poivre viennent s'ajouter à l'ail ; l'arôme et le goût de ce fromage sont alors aisément reconnaissables.

Servez-le seul avec un pain bis. Ne l'associez pas à d'autres fromages – les papilles gustatives, fortement impressionnées par le gaperon, seront incapables d'apprécier des fromages plus doux.

lait	lait de vache partiellement écrémé
variété	pâte molle, pressée et aromatisée, croûte fleurie
mat. grasse	de 30 à 45 %
affinage	2 semaines
saveur	très forte
boisson	vodka

Gjetost

Norvège

En Norvège, nul petit déjeuner n'est complet sans ce fromage rouge à la douce saveur. Il est fabriqué avec du petit-lait ou du babeurre chauffé très doucement jusqu'à ce que l'eau s'évapore et que le lactose forme une sorte de croûte brune caramélisée. À ce stade, on peut ajouter du lait ou de la crème pour modifier la teneur en matière grasse du produit fini.

Le gjetost, produit sous forme de pains carrés, n'a pas de croûte ; il est vendu dès qu'il est fabriqué. Que sa consistance soit molle ou dure, il possède un goût de caramel caractéristique. Servez-le avec des fruits – des pamplemousses par exemple – et sur du pain de seigle, ou avec de la baguette croustillante, ou bien avec du cake.

lait	petit-lait chèvre ou vache
variété	pâte cuite, pressée
mat. grasse	variable
affinage	non
saveur	douce
vin	madère

VARIANTE

Ekte : c'est un gjetost préparé avec du lait de chèvre seul. Il a un goût plus vif que celui fait avec un mélange de différents laits.

Gloucester

Angleterre

$\mathcal{C}$omme le cheddar, le gloucester a souffert du passage d'une production artisanale à une fabrication industrielle, et il est devenu plus complexe de faire la distinction entre le gloucester double – double gloucester – et le gloucester simple – single gloucester. Aujourd'hui, le gloucester traditionnel n'est plus fabriqué que dans quelques fermes seulement.

À l'origine, le gloucester simple était fabriqué avec le lait cru du soir, qui était écrémé puis mélangé au lait entier du lendemain matin. Ce fromage ferme mais souple, destiné à un affinage rapide, était généralement consommé sur place. Aujourd'hui, le gloucester simple est fabriqué avec du lait écrémé provenant d'une traite ou de deux traites. Ses dimensions sont plus petites que celles du gloucester double. Le Smart's Farmhouse Single Gloucester est âgé de un à trois mois. Il possède une croûte jaune blanchâtre et une pâte ferme, couleur d'ivoire. Sa texture est sèche et friable,

lait	lait de vache
variété	pâte dure, croûte sous emballage toilé ou paraffiné
mat. grasse	48%
affinage	6 à 9 mois
saveur	simple : modérée ; double : forte mais moelleuse
vin	rosso conero ou zinfandel

il présente un arôme de noisettes et de raisins secs. Sa saveur, excellente, évoque le cake au caramel.

Le gloucester double est fabriqué avec du lait entier provenant de la traite du soir et du lendemain matin. Le secret de la méthode initiale consistait à mettre la présure avant que le lait ne perde sa chaleur naturelle. Le caillé était ensuite divisé et pressé, puis l'affinage durait de quatre à huit mois. Aujourd'hui, la majeure partie du lait est pasteurisée, mais certains producteurs utilisent encore du lait cru. Les fromages fermiers se présentent sous la forme de gros cylindres aplatis enveloppés de toile. La pâte est d'une délicieuse couleur orangée, moins vive que celle d'autres fromages colorés au rocou. Sa texture est plus crémeuse et moins sèche que le gloucester simple. Il possède un arôme doux de carottes lactées. Sa saveur est riche et suave, avec des notes de fruits secs et une acidité citronnée qui reste en bouche.

Servez-le avec de la salade verte, des fruits ou de la gelée de groseilles. Une recette traditionnelle préconise de faire fondre les tranches de fromage dans de la bière en ébullition, d'épaissir le mélange avec du jaune d'œuf et de la moutarde et de verser cette mixture sur des toasts chauds.

Les fromages fabriqués en usine sont enrobés de paraffine ou emballés dans du plastique, et la pâte est souvent colorée avec du rocou. La plupart sont mélangés avec d'autres fromages ou parfumés à l'oignon ou à la ciboulette (Abbeydale et Cotswold), du stilton (Huntsman) ou des pickles doux (Sherwood).

Cottage pie

Émincez des restes de viande de bœuf ainsi qu'un oignon et un poivron rouge. Liez le mélange avec un reste de sauce et assaisonnez avec des herbes, du sel, du poivre gris du moulin. Répartissez bien cette préparation dans un plat à gratin. Pour la garniture, faites bouillir des pommes de terre dans une casserole et réduisez-les en purée avec du lait et du beurre, puis étalez la purée sur la viande. Recouvrez de gloucester double râpé et faites cuire au four chauffé à 200 °C/therm. 6, jusqu'à ce que le fromage soit fondu et que les pommes de terre soient croustillantes.

RECETTE

Gorgonzola

Italie du Nord

*I*l existe de nombreuses histoires sur l'origine de ce merveilleux fromage lombard, qui jusqu'au début du XXe siècle était connu sous le nom de «stracchino» ou «stracchino verde» – un fromage fait avec le lait de vaches fatiguées par leurs longues marches printanières et automnales menant aux pâturages d'altitude.

Ce fromage gagna en popularité et on lui donna le nom de l'un des nombreux villages où il était fabriqué, Gorgonzola. Aujourd'hui, le fromage d'appellation contrôlée est fabriqué dans de grandes laiteries industrielles disséminées dans le nord-est de l'Italie.

Le gorgonzola se présente sous forme de cylindres dont le poids varie de 6 à 12 kg. Il présente une croûte épaisse et rugueuse, gris-rouge, parfois pulvérulente par endroits. La pâte est blanche ou jaune, parcourue de veinures bleu-vert. Sa texture est assez crémeuse, plus moelleuse que celle du stilton et plus butyreuse que celle du roquefort.

lait	lait de vache
variété	pâte demi-dure, marbrures bleues, croûte lavée
mat. grasse	48%
affinage	3 à 6 mois
saveur	forte
vin	barolo ou reciota della Valpolicella

Il possède une saveur piquante et épicée, avec une note de moisissure boisée et de champignons, qui surprend à la première bouchée. Son arôme est peut-être plus fort que sa saveur, et la croûte lavée donne une légère note alcoolisée à l'ensemble. Évitez de choisir des fromages à l'odeur aigre ou de couleur brune.

Servez-le avec de la salade, du pain italien, des olives noires et des radis, ou émiettez-le sur des feuilles de salade avec des noix. Le gorgonzola est un fromage qui se déguste seul, en fin de repas, avec des crackers. À Milan, il sert à farcir les poires ou à faire une sauce pour assaisonner les pâtes, avec de la sauge et de l'ail. Essayez-le dans les soupes, avec des pommes de terre en robe de chambre, des sauces aux légumes et des farces. Mélangé à des épinards, c'est une excellente garniture pour des crêpes salées.

ci-dessous : *dans une salade, la saveur piquante du gorgonzola se marie parfaitement avec le goût de terre des champignons.*

Dolcelatte : marque déposée d'une version adoucie du gorgonzola. Ce fromage, fabriqué à l'usine Galbani de Pavie à partir du caillé issu d'une seule traite, se vend très jeune. Recouvert d'une fine moisissure, il est généralement emballé dans du papier d'aluminium. La pâte est homogène et de couleur crème, avec des veinures bleu-vert inégalement réparties. Sa saveur ressemble à celle d'un gorgonzola doux.

Gondola : version danoise du gorgonzola.

Torta San Gaudenzio : c'est l'une des nombreuses marques déposées d'un fromage composé de couches de gorgonzola et de mascarpone.

Gorgonzola américain : le gorgonzola produit en Amérique est généralement plus sec et plus friable que l'original, avec une saveur vive, poivrée mais pas très riche. Un seul fromage fait exception, celui que fabrique la Belgioso Cheese Inc. dans le Wisconsin. Plus doux que le gorgonzola italien, il ressemble davantage au Dolcelatte.

Par le passé, on fabriquait le gorgonzola en ajoutant de la présure au lait de la traite du soir et en suspendant le caillé jusqu'au lendemain matin pour le faire égoutter. Le jour suivant, le caillé était moulé puis mélangé au caillé du lait du matin en couches superposées. Ce fromage « due paste » est difficile à trouver aujourd'hui car il nécessite un affinage d'un an ou plus et n'est élaboré que par quelques petits producteurs. Il possède un goût fort et piquant, très apprécié des connaisseurs.

Le gorgonzola de fabrication industrielle est appelé « una pasta », car il est issu d'un mélange de deux laits mais d'un seul caillé. On active la formation de moisissure en perçant la croûte avec des aiguilles en cuivre ou en acier inoxydable et en le faisant vieillir moitié moins longtemps que le fromage traditionnel. La croûte est ensuite lavée dans la saumure durant l'affinage. Les fromages jeunes sont vendus comme des « dolce » et les plus vieux comme des « naturale ». Le résultat, même s'il est plus doux et peut-être plus accessible que le « due paste », est toujours très bon. La plupart des fabricants sont membres de l'Association des producteurs de gorgonzola. Leurs fromages sont aisément reconnaissables car ils sont enveloppés dans du papier d'aluminium portant les initiales CG qui sont la marque de l'association.

Gouda

Pays - Bas

$\mathcal{C}$et ancien fromage des provinces de Hollande-Méridionale et d'Utrecht est désormais produit en usine, mais il est toujours possible de trouver des versions artisanales. Le gouda existe en plusieurs dimensions, paraffiné ou non, et varie en âge de un mois à deux ans ou plus.

Produit sous forme de meules aplaties, le gouda présente une mince croûte jaune recouverte de paraffine. La pâte du fromage jeune est ferme et de couleur jaune pâle, percée de petits trous irréguliers ou de quelques trous plus gros. Le fromage industriel est mou et souple avec un arôme butyreux qui ressemble presque à celui du fromage fondu. Sa saveur est très douce, noisetée, avec une légère note de caramel.

En vieillissant, la croûte s'épaissit, la pâte devient plus foncée et durcit, en particulier près des bords. Le goût s'affirme et devient plus soutenu. Le fromage fermier à point possède une odeur salée, avec un goût acidulé et fruité qui s'achève sur une note très douce. Les fromages dont l'affinage dure plus de deux ans prennent une légère saveur de caramel.

Servez du gouda mûri à point avec du pain et des pickles. Coupez le gouda plus jeune en tranches minces et confectionnez des canapés toastés. Râpez les fromages plus vieux et plus durs pour les utiliser dans des soupes ou des gratins.

Le gouda industriel est fabriqué avec du lait pasteurisé et souvent trempé dans la paraffine pour augmenter sa durée de stockage. Cet enrobage de paraffine varie en couleur et indique parfois la présence d'aromates, comme les herbes (paraffine verte) ou les grains de cumin (paraffine orange). Certains goudas vieux sont enrobés de paraffine noire.

Boerenkäse : c'est le nom d'un gouda fermier produit en pains circulaires beaucoup plus gros que le fromage industriel. Il a une croûte dorée qui n'est ni enrobée de plastique, ni trempée dans la paraffine.

Kernhem : on dit que ce fromage riche et noiseté fut inventé après qu'un lot de gouda enrichi à la crème eut mal tourné. Sa texture est beaucoup plus molle que celle du gouda.

Coolea : les collines de Coolea prêtent leur nom à ce fromage proche du gouda originaire du comté irlandais de Cork ; il est fait avec du lait cru et affiné pendant six à huit semaines, voire davantage. Certains fromages sont aromatisés aux orties, aux herbes ou à l'ail. Lorsqu'il est à point, le Coolea présente une saveur piquante qui s'attarde sur le palais.

Penbryn : c'est un gouda biologique fait au pays de Galles.

Teifi : fromage de type gouda fabriqué au pays de Galles, à l'arôme floral et à la riche saveur. Il existe douze variétés différentes de ce fromage, à l'ail, au cumin, aux orties et même aux algues.

Gouda américain : il est souvent enrobé de paraffine rouge comme l'édam ; son goût est fade et peu intéressant. Certaines versions font exception : celles faites à Oakdale (Californie) et à Winchendon (Massachusetts).

Wieninger's goat cheese : ce fromage jeune de style gouda est fabriqué avec du lait de chèvre non pasteurisé par Sally et Ted Wieninger dans les monts Catskill (État de New York). Sa texture est beaucoup plus dure que celle du gouda au lait de vache, et sa saveur est unique.

lait	lait de vache
variété	pâte demi-dure, cuite et pressée, croûte naturelle
mat. grasse	48 %
affinage	1 mois à 2 ans
saveur	douce à modérée
vin	syrah ou shiraz corsé

Grana padano

Italie du Nord

*G*rana est un nom générique pour tous les fromages italiens à pâte granuleuse extrêmement dure, originaires de la vallée du Pô et fabriqués avec du lait partiellement écrémé. Vingt-sept provinces sont autorisées à en faire, mais cependant, il est bien moins connu que son célèbre cousin, le parmesan.

Les gros fromages – de 24 à 40 kg – possèdent une fine croûte brillante couleur vieil or. La pâte granuleuse se coupe facilement en tranches lorsque le fromage est jeune. À mesure qu'il vieillit, la pâte durcit et se brise au contact du couteau. Sa couleur jaune foncé s'intensifie avec l'âge. La saveur est excellente, suave et intense, plus prononcée en mûrissant.

Les granas s'emploient râpés et font office de condiment (en Italie, rares sont les entrées qui ne sont pas parfumées au fromage râpé). Les granas sont parfaits pour la cuisine parce qu'ils fondent très bien. À utiliser comme le parmesan.

lait	lait de vache
variété	pâte extra-dure, cuite et pressée
mat. grasse	32 %
affinage	6 mois
saveur	modérée à forte
vin	vino nobile di Montepulciano

Gruyère

Suisse

$\mathcal{L}$e gruyère est sans nul doute originaire de Suisse, mais son usage est tellement répandu en France que l'on finit par croire que c'est un fromage français. Bien sûr, la France produit maintenant une grande quantité de ce fromage, mais le véritable gruyère se reconnaît aisément à l'estampille « Switzerland » figurant sur toute la surface de la croûte.

Le gruyère suisse est fabriqué avec du lait cru dans les régions d'élevage situées autour de la ville de Gruyère, dans le canton de Fribourg. C'est un fromage assez gros, à la croûte légèrement huileuse dont l'aspect évoque un peu la peau des amandes ou un petit rayon de miel.

La pâte jaune paille est ferme mais légèrement plus souple que celle de l'emmental et plus onctueuse en bouche ; elle est parsemée de petits trous sphériques. Chez les fromages plus vieux, la pâte s'affermit et prend une couleur jaune-gris. Le gruyère a une odeur de terroir, teintée de miel

lait	lait de vache non pasteurisé
variété	pâte demi-dure, cuite et pressée, croûte naturelle brossée
mat. grasse	45 %
affinage	6 à 10 mois
saveur	modérée
vin	bordeaux

et de noisettes. Sa saveur rappelle celle de l'emmental, avec de forts accents tourbeux et un arrière-goût puissant.

Bien que le gruyère soit rarement servi seul, ou même sur un plateau de fromages – excepté en Suisse – il a d'excellentes qualités et mériterait d'être mis à l'honneur. Servez-le avec des crackers et des figues ou du raisin, ou dans un sandwich avec des tomates et des oignons. Fondu sur du pain grillé, c'est un accompagnement idéal pour une soupe de poisson ; servez-le à part ou même dans la soupe. Proposez-le également avec du jambon fumé et des rondelles de tomates, ou, si vous voulez innover, avec de la banane. En fondant, le gruyère forme une superbe masse crémeuse ; c'est un fromage idéal pour cuisiner des sauces, du poulet et du veau cordon bleu ainsi que des gougères. Sur les gratins, il forme une croûte régulière, pas trop sèche ; on peut également le mélanger à de la chapelure pour paner des légumes et des poissons. Il s'emploie fréquemment dans les tartes

ci-dessous : *fondue traditionnelle de Neuchâtel.*

Fribourg : c'est une variété de gruyère plus dur, au goût plus prononcé, vieilli plus de deux ans.

Roth käse : ce fromage de type gruyère est fabriqué par un producteur installé à Monroe dans le Wisconsin (États-Unis), avec du lait qui a été chauffé lentement et a donc conservé sa saveur initiale.

Heidi farm cheese : producteur tasmanien de fromages s'inspirant des fromages suisses.

Fondue traditionnelle de Neuchâtel

Commencez par frotter le poêlon à fondue avec de l'ail. Râpez 400 g de gruyère et 400 g d'emmental dans le poêlon et incorporez 4 cuillerées à café de maïzena. Ajoutez 25 cl de vin blanc, une cuillerée à café de jus de citron et un petit verre de kirsch. Chauffez ce mélange en remuant constamment de telle sorte qu'il ne colle pas au fond du récipient. Lorsque le fromage est fondu, assaisonnez avec du poivre gris du moulin et de la noix muscade râpée. Servez immédiatement avec du pain croustillant rassis, coupé en dés. Vous pouvez aussi tremper des légumes émincés dans la fondue, des carottes et des courgettes par exemple.

RECETTE

salées.

Les meilleurs fromages ont les yeux qui suintent légèrement et de fines fentes juste sous la croûte. Correctement enveloppé, le gruyère se conserve bien. Pour qu'il garde toute sa fraîcheur, stockez-le dans un endroit frais, enveloppé dans un linge humidifié à l'eau salée ou bien emballez-le dans une double épaisseur de papier d'aluminium et mettez-le au réfrigérateur.

Le gruyère est fabriqué presque comme l'emmental, mais le caillé est divisé plus grossièrement et chauffé à température plus élevée. Il est ensuite pressé plus fortement et pendant plus longtemps, puis affiné à plus haute température. À l'inverse de l'emmental, le gruyère est humidifié à l'eau salée pendant l'affinage, ce qui agit sur la croûte et accélère le processus de maturation.

Gubbeen

Irlande

*D*ésormais élaboré avec du lait pasteurisé, ce fromage est resté très bon. Giana Ferguson a commencé à faire du gubbeen en 1980 avec le lait des vaches de son mari, à Schull dans le comté de Cork.

Produit sous forme de meules plates, il présente une croûte lavée ocre jaune à l'arôme et au goût très prononcés. Durant l'affinage, les fromages sont lavés quotidiennement avec de l'eau salée pendant les trois semaines qui précèdent leur mise en vente.

Mᵐᵉ Ferguson préconise de déguster son fromage après cinq ou six semaines d'affinage, lorsque la pâte commence à couler. À ce stade, il dégage un arôme noiseté et butyreux, avec une pointe de citron. Le goût est doux et pur, avec des touches de noisettes, de citron et une pointe de terroir. Il laisse une légère acidité en bouche. Elle conseille de le mettre sur du pain noir beurré, de le garnir de pignons de pin et de faire griller le tout quelques instants.

lait	lait de vache
variété	pâte molle, croûte lavée à la saumure
mat. grasse	40 %
affinage	3 à 12 semaines
saveur	douce et modérée
vin	bordeaux rouge, pinot noir

Haloumi

Chypre

C'est le fromage que vous trouverez grillé dans le « meze » de Chypre, de Grèce ou du Moyen-Orient. Au lieu de fondre à la chaleur, le haloumi durcit. Originaire de Chypre, il est maintenant copié dans tout l'est de la Méditerranée et se fait avec tous types de laits. Regardez l'emballage pour plus de renseignements.

Comme la feta, il est produit sous forme de blocs et conservé dans une saumure de petit-lait. Les versions au lait de vache sont souvent emballées sous vide. Le fromage n'a pas de croûte et sa texture est plus élastique que friable ; il durcit en vieillissant. Sa saveur est lactée, parfois semblable à celle du lait concentré, et moins salée que la feta. À Chypre, le fromage est pétri avec de la menthe hachée et coupé en blocs.

Servez-le en tranches avec des olives et des fines herbes ou faites-le frire sans huile, comme c'est la coutume à Chypre, et accompagnez-le de salade.

lait	lait de brebis, de chèvre et de vache
variété	pâte ferme mais fraîche, immergée dans la saumure
mat. grasse	40 %
affinage	quelques jours
saveur	douce et salée
vin	beaujolais léger

Havarti

Danemark

$\mathcal{C}$e fromage porte le nom de la ferme d'une intrépide fromagère du XIXe siècle ayant beaucoup voyagé pour enrichir ses connaissances sur le sujet. Il est maintenant fabriqué en laiterie industrielle.

La pâte souple et crémeuse est percée de nombreux trous minuscules. Sa saveur est excessivement douce mais devient un peu plus prononcée à mesure que le fromage vieillit. Certains fromages sont aromatisés avec des fines herbes ou des graines de carvi.

Servez-le en tranches fines au petit déjeuner ou faites des sandwiches avec des concombres et de l'aneth frais ou des dattes écrasées.

V A R I A N T E

Top paddock : un havarti fermier fabriqué par Fred Leppin dans l'État de Victoria, en Australie.

lait	lait de vache
variété	pâte demi-dure, cuite mais non pressée
mat. grasse	50 %
affinage	3 à 4 semaines
saveur	très douce
vin	vin de pays léger ou beaujolais

Idiazábal

À l'origine produit dans les Pyrénées, en haute montagne, au-dessus de Pampelune, ce fromage de brebis rustique était souvent fumé dans les cabanes des bergers. Aujourd'hui, il est fabriqué dans tout le pays Basque, à la ferme et en laiterie, avec du lait non pasteurisé.

Le fromage se présente sous forme de meules de dimensions variées. La croûte de couleur jaune pâle est assez dure. La pâte est blanc crème, assez compacte, avec quelques petits trous. Les fromages fumés ont une merveilleuse couleur brun doré ; leur pâte est ivoire foncé.

Le fromage non fumé offre une douce saveur de terroir agrémentée d'une légère pointe aigrelette. Les fromages fumés présentent un arôme et une saveur de fumé et de caramel, avec un goût de terroir qui devient vite pénétrant et s'attarde un certain temps en bouche.

Servez-le en tranches avec du chorizo (ou du jambon cru) et du bon pain, ou savourez-le avec des crudités.

lait	lait de brebis non pasteurisé
variété	pâte dure, cuite et pressée, croûte naturelle
mat. grasse	de 45 à 53 %
affinage	2 à 4 mois
saveur	modérée
vin	non fumé : rioja ou navarra rouge ;
	fumé : rioja blanc vieilli en fût de chêne

Jack

Californie, États-Unis

*L*e jack a été créé dans les années 1830 par un Écossais du nom de David Jacks. Au bout d'une semaine d'affinage seulement, son fromage devenait de couleur blanche, très tendre et doux.

Le monterey jack est fabriqué presque de la même manière. Sa pâte blanche possède une saveur douce mais légèrement acidulée. Les meilleurs exemples sont le Bear Flag Monterey Jack fabriqué par la Vella Company et le Sonoma Jack fabriqué par la Sonoma Cheese Company.

lait	lait de vache
variété	pâte molle, croûte naturelle
mat. grasse	45 %
affinage	3 semaines à 10 mois et plus
saveur	modérée à forte
vin	chardonnay de Californie

VARIANTES

Dry jack : c'est du monterey jack qui a mûri pendant sept à dix mois ; il est très dur et offre une saveur prononcée de noisettes.

English monterey jack : il possède une enveloppe de paraffine rouge, une pâte jaune et une saveur salée.

Kefalotiri

Grèce

*L*e kefalotiri est un fromage de brebis bien parfumé, fabriqué dans toute la Grèce continentale ainsi que dans les îles. La majeure partie du kefalotiri vendu à l'extérieur de la Grèce est une version moins goûteuse, souvent fabriquée avec du lait de chèvre et appelée « kefalograveria ».

Des versions de ce fromage sont également faites à Chypre et au Moyen-Orient. Le fromage grec présente une pâte compacte, blanc crème, avec des petits trous disséminés un peu partout et un arôme particulier de noisettes lactées ; sa saveur est peu prononcée, légèrement salée. Le fromage chypriote est beaucoup plus intéressant, avec une pâte plus dure couleur d'ivoire. Son arôme est plus fort, avec plus de caramel et moins de lait. Son goût est plaisant, marqué par des notes de fleurs et de champignons.

Servez au cours d'un repas grec, nappé d'huile d'olive vierge extra et garni de fines herbes fraîches.

lait	lait de brebis ou de vache
variété	pâte dure, pressée, croûte naturelle
mat. grasse	45 %
affinage	3 mois ou plus
saveur	douce à modérée
vin	bordeaux

Lanark Blue

Écosse

 e délicieux bleu du Lanarkshire peut aisément se substituer au roquefort. Il est fabriqué par Humphrey Errington dans une ferme équipée de la première trayeuse rotative pour brebis de la Grande-Bretagne, mais ensuite, le reste de la fabrication est artisanal.

Ce fromage est parcouru de veinures bleu-vert, sa texture est crémeuse. Il offre une agréable saveur végétale, assez salée avec un arrière-goût acidulé. Servez-le seul avec des crackers ou avec d'autres fromages sur un plateau. Employez-le en cuisine à la place du roquefort.

VARIANTE

Dunsyre blue : également fabriqué par Humphrey Errington, avec du lait de vache cru, il mûrit pendant trois mois et sa saveur forte évoque le gorgonzola.

lait	lait de brebis non pasteurisé
variété	pâte bleue demi-dure
mat. grasse	52 %
affinage	3 mois
saveur	modérée à forte
vin	sauternes

Lancashire

N o r d   d e   l ' A n g l e t e r r e

*L*e vrai lancashire, encore fabriqué dans un très petit nombre de fermes, est très différent du fromage fabriqué en laiterie industrielle. Il est fait avec du lait de vache cru et possède un goût salé qui s'amplifie avec l'âge. À l'inverse, le fromage laitier est si doux qu'il n'a presque pas de goût.

Les lancashires traditionnels se présentent sous forme de gros cylindres aux flancs légèrement renflés, généralement enrobés de toile. La texture du fromage jeune est très tendre et crémeuse ; il est difficile à trancher tant il est friable. Sa pâte blanche offre un arôme et une saveur lactés, avec une pointe de citron.

Les fromages fermiers plus vieux présentent une pâte d'un jaune primevère plus foncé, à la texture ferme, très peu friable. Son arôme est vert et végétal, marqué par une légère touche de feuilles moisies. Sa saveur est à la fois vive et suave, avec de riches notes végétales et fruitées.

Le lancashire jeune peut se tartiner sur du pain ou des crackers. Il est excellent dans les sandwiches, mêlé à des carottes râpées ou à des dattes et des noix hachées.

Le fromage râpé ou émietté fond bien ; il est idéal pour faire des toasts au fromage. Il est également très bon dans la soupe au fromage, avec le chou-fleur et dans les tourtes et les gratins typiques du Lancashire.

Disposant de peu de lait, les premiers producteurs de lancashire avaient mis au point une technique qui leur permettait de faire un gros fromage avec le lait de la traite de plusieurs jours. Ils conservaient le caillé pendant une semaine ou deux afin d'atteindre le degré d'acidité requis.

Les fromagers d'aujourd'hui utilisent toujours du lait cru et mélangent les caillés égouttés, broyés et salés, de deux ou trois jours consécutifs. Le caillé ainsi obtenu est à nouveau broyé, moulé puis pressé pendant 24 heures. Les fromages sont ensuite bandés, paraffinés et affinés pendant quelques mois, selon le goût des consommateurs.

RECETTE

Tourte au lancashire et à l'oignon

Abaissez 350 g de pâte brisée et utilisez la moitié pour chemiser un moule de 23 cm de diamètre. Faites revenir 500 g d'oignons émincés dans 1 cuillerée à café de beurre puis répartissez-les sur la pâte avec 200 g de lancashire râpé. Salez et poivrez. Couvrez avec le reste de pâte en pressant bien sur les côtés pour sceller les deux morceaux de pâte. Piquez le dessus à la fourchette et faites cuire au four réglé à 190 °C/therm. 5 pendant 45 minutes.

lait	lait de vache
variété	pâte dure, pressée, croûte naturelle bandée
mat. grasse	de 45 à 48%
affinage	de 3 à 6 mois
saveur	douce à prononcée
vin	pinot noir ou bourgogne

Langres

*M*alheureusement, ce fromage merveilleusement relevé originaire de la région champenoise ne se vend pas dans les pays interdisant l'importation de fromages au lait cru. Au meilleur de sa forme, il peut concurrencer tout autre fromage français.

Relativement petit, il se présente sous forme de timbales de 200 g. Il n'a généralement pas d'emballage et se caractérise par une dépression centrale sur le dessus et des flancs légèrement renflés. La croûte est orange vif, couleur typique des fromages à croûte lavée ; c'est elle qui confère au langres son puissant arôme de terroir.

La pâte très crémeuse, d'une jolie couleur jaune pâle, dégage un arôme légèrement citronné avec une pointe de lard. Sa saveur puissante mais veloutée évoque les vieilles chaussettes, mais cette impression est contrebalancée par une agréable note citronnée.

Servez-le sur un plateau avec d'autres fromages, ou bien, si vos invités aiment les fromages forts, proposez-le seul avec des prunes et des amandes.

lait	lait de vache non pasteurisé
variété	pâte molle, croûte lavée
mat. grasse	45 %
affinage	3 mois
saveur	forte
vin	bordeaux rouge de qualité ou moulin-à-vent

Le Brouère

*R*elativement nouveau sur la scène fromagère, ce fromage est une idée originale de la laiterie de l'Ermitage en Alsace, normalement spécialisée dans la fabrication du munster. Il s'agit d'une variante du gruyère français fabriqué dans le Jura. Son nom, provenant d'un mot du dialecte alsacien signifiant « lande », fait référence aux pâturages vierges des montagnes vosgiennes.

Ce fromage se présente sous forme de meules pas tout à fait sphériques de 10 cm d'épaisseur environ. Sur sa croûte brun clair figurent des images de sapins et de tétras. Chaque fromage est numéroté et signé. La pâte jaune vif, onctueuse en bouche, est de consistance ferme. La saveur est douce et butyreuse, avec une nuance de noisettes.

Servez-le en fin de repas avec des fruits et des noisettes non décortiquées ou employez-le en cuisine. Il se râpe et fond bien.

lait	lait de vache
variété	pâte dure, cuite et pressée, croûte naturelle brossée
mat. grasse	45 %
affinage	6 semaines
saveur	douce à modérée
vin	bourgogne rouge

Leicester

Centre de l'Angleterre

$\mathcal{L}$e premier leicester était fabriqué par des fermiers des environs de la ville de Leicester pour utiliser le surplus de lait provenant de la fabrication du stilton. Ils ont ajouté du jus de carottes pour donner au fromage cette couleur orange vif, d'où le nom de «leicester rouge». En fait, il n'y a qu'une seule variété de leicester, désormais colorée avec du rocou.

Ce fromage, de la forme d'un cylindre plat, possède une croûte mince et sèche. La pâte est compacte, assez élastique, l'arôme agréable, noiseté, la saveur douce, avec une pointe de citron. Certains fromages de fabrication industrielle sont aromatisés aux fines herbes, à l'ail ou aux noix.

lait	lait de vache
variété	p. dure, pressée, enrobée toile
mat. grasse	48%
affinage	3 à 6 mois
saveur	douce
vin	vin de pays léger

Pour un repas léger, servez-le avec du cresson et des brins de ciboule, ou avec d'autres fromages, pour un buffet. Le leicester fond bien et colore les sauces ou les soupes dans lesquelles on l'emploie. Dans sa région d'origine, ce fromage est éparpillé sur du pain trempé dans du lait et tartiné de moutarde puis grillé au four.

Leiden

$\mathcal{C}$ e fromage se présente sous forme de meules cylindriques plates de dimensions variées. Les fromages authentiques fabriqués à Leiden (Leyde) même portent l'estampille de la ville, deux clés croisées. Le leiden possède une croûte naturelle jaune, paraffinée si le fromage est de fabrication industrielle, ou rouge orangé et brossée avec du rocou s'il est de fabrication artisanale. La pâte ressemble à celle du gouda mais elle est parsemée de graines. L'odeur et le goût de carvi ou de cumin s'intensifient en vieillissant. Servez ce fromage en apéritif, ou avec du jambon et des pickles.

VARIANTE

Frison aux clous de girofle : aromatisé aux clous de girofle, ce fromage à pâte très dure des îles Frisonnes ressemble à du leiden à point.

lait	lait de vache écrémé et entier
variété	pâte demi-dure, croûte lavée
mat. grasse	de 30 % à 40 %
affinage	3 mois à 2 ans
saveur	très forte
boisson	bière

Limburg

Allemagne

$\mathscr{J}$l ne s'agit pas à proprement parler d'un fromage allemand, mais belge plutôt. À l'origine, il était fabriqué dans des monastères du Limburg en Belgique, mais il y a plus d'un siècle il fut adopté et, bien sûr imité, par les fabricants de fromage allemands de l'Allgäu.

Le limburg exhale l'arôme typiquement relevé d'un fromage à croûte lavée, mais sa saveur est assez décevante ; on a l'impression que tout le caractère du fromage réside dans la croûte ! Il est produit sous forme de petits pains rectangulaires à la croûte brun-rouge et à la pâte couleur crème.

Servez-le avec du pain noir et des oignons crus. Évitez de choisir les fromages à la croûte suintante ou ceux dont la pâte s'est rétractée – parfois repérables au papier d'emballage froissé.

lait	lait de vache pasteurisé
variété	pâte demi-dure, croûte lavée
mat. grasse	30 %
affinage	3 mois
saveur	douce chez le fromage jeune et assez prononcée lorsqu'il est à point
vin	garrafeira portugais rouge

Liederkranz : ce fromage américain a été inventé en 1892 par un allemand immigré aux États-Unis, Emil Frey. Il avait l'intention de copier un fromage très célèbre, le Bismark schlosskäse qui, à l'époque, était importé aux États-Unis. Le résultat fut une forme de limburg, plus doux et moins relevé. Il tient son nom – «couronne de chansons» – d'une chorale très populaire à cette époque. Aujourd'hui, ce fromage est assez difficile à trouver. Il se vend sous forme de petits pavés ; il a une croûte lavée tendre, de couleur brun pâle et une pâte jaune or riche et veloutée. Sa saveur est agréable, acidulée mais pas forte.

Old Heildelberg : ce fromage qui ressemble beaucoup au liederkranz est produit à Lena, dans l'Illinois.

Brick : le brick fut inventé dans le Wisconsin en 1877 par John Jossi, un fromager d'origine suisse. Il voulait faire un fromage avec la même saveur aromatique que le limburg mais à la texture plus ferme. Il s'était rendu compte qu'en préparant un caillé moins mouillé qu'à l'accoutumée et en le pressant ensuite entre deux briques, il pourrait obtenir le résultat escompté. Ce fromage se présente maintenant sous forme de briques, parfois avec une croûte naturelle rougeâtre, parfois enrobé de plastique. La pâte est de couleur très pâle, de texture ferme mais souple avec de nombreux petits trous. Sa saveur plutôt relevée, avec des notes acidulées et noisetées, évoque le tilsit en plus fort (mais pas aussi fort que le limburg). Ce fromage très apprécié se sert avec des crackers ou dans des sandwiches.

Livarot

Normandie, France

*M*ême bien emballé, le livarot saura toujours se rappeler à votre bon souvenir! Ce petit fromage du pays d'Auge en Normandie possède les propriétés nécessaires pour faire partie des dix premiers fromages français les plus relevés. Le livarot, autrefois de production artisanale, est désormais fabriqué dans de grandes laiteries avec du lait pasteurisé.

Le livarot porte parfois le nom de «colonel», en raison des lanières de raphia dont on l'enrubanne pour l'empêcher de gonfler. Sa croûte lavée brillante, d'un brun orangé, peut devenir très foncée et rustique d'aspect. La pâte dorée, molle et élastique, est parcourue de petits trous.

L'arôme que dégage la croûte est très puissant, avec une touche de lard et d'ammoniac, mais celui de la pâte est plus subtil, toujours avec une nuance de viande. Son goût plein et vigoureux présente des accents de terroir et une forte note salée et citronnée qui heurte la langue. Servez-le en fin de repas avec des pommes et des poires.

lait	lait de vache partiellement écrémé
variété	pâte molle, croûte lavée
mat. grasse	de 40 à 45 %
affinage	3 mois
saveur	très forte
boisson	cidre brut de Normandie ou calvados

Mahón

Espagne

Ce fromage fruité porte le nom de la plus grande ville de l'île de Minorque aux Baléares. Les fermiers de la région font du fromage depuis des siècles, mais la réputation du mahón est due au talent des affineurs locaux. Ces experts font le tour des fermes pour collecter les fromages jeunes qu'ils font vieillir de deux mois à deux ans dans des caves souterraines.

Produit sous forme de petits carrés irréguliers aux coins arrondis, le fromage jeune a une croûte dorée qui fonce en vieillissant. La pâte, couleur d'ivoire, fonce elle aussi, durcit et se parsème de petits trous. Le mahón dégage un arôme lacté, suave et fleuri. Cependant, son goût est étonnamment aigre et légèrement acidulé, avec une pointe de noisettes grillées et de caramel qui s'attarde sur le palais. Servez-le sur un plateau avec d'autres fromages ou dans des sandwiches, ou bien suivez l'exemple des habitants de Minorque qui disposent les tranches de mahón sur un plat, les arrosent d'huile d'olive et les saupoudrent de sel et d'estragon frais.

lait	lait de vache
variété	pâte demi-dure, pressée, croûte naturelle
mat. grasse	de 40 à 45 %
affinage	2 à 24 mois
saveur	modérée
vin	rioja rouge

Manchego

Centre de l'Espagne

$\mathcal{L}$e plus connu des fromages de brebis espagnols tire son nom de la province où il est fabriqué : la Mancha, patrie de don Quichotte. Toutefois, il n'est pas aussi vif que le chevalier qui combattait les moulins à vent. Quel que soit son âge, il est assez doux avec une touche de noisettes salées. Initialement fabriqué pour faire du troc à la foire aux bestiaux, le manchego constituait aussi une nourriture idéale pour les bergers qui accompagnaient leurs troupeaux pendant de longues périodes à la recherche de bons pâturages. Aujourd'hui, la plupart des fromages sont affinés pendant deux ou trois mois et vendus comme *semi curado ;* les autres fromages sont qualifiés de curado puis de *viejo.* Vous trouverez parfois du manchego *fresco,* affiné moins longtemps.

Le manchego est produit sous la forme de petites meules ; il possède une croûte particulière, couleur de paille foncée, marquée des traces du moule. Le dessus et le dessous du fromage présentent un motif floral, et les flancs por-

lait	lait de brebis
variété	pâte dure, pressée, croûte naturelle
mat. grasse	de 45 à 50 %
affinage	2 mois à 2 ans
saveur	douce
vin	xérès

ci-dessus : *moulin, dans la Mancha.*

tent le dessin en zigzag laissé par l'enrobage d'alfa (maintenant en plastique).

Pendant l'affinage, la surface se couvre d'une moisissure d'un noir verdâtre. Certains fromages sont brossés avant d'être vendus. La pâte couleur d'ivoire est ferme, compacte et perforée de petits trous. Elle possède une odeur aromatique avec une touche de caramel. Cet effet se renforce sur le palais en s'agrémentant de noisettes.

Servez le manchego à la fin d'un repas avec de la gelée de coings ou des figues fraîches et du miel. Sinon, composez un repas léger, en l'agrémentant d'olives noires et de grosses tomates, ou bien ajoutez-le à un assortiment de tapas en l'associant avec du chorizo et du jambon cru.

V A R I A N T E S

Malvern manchego : Nick Whitworth, à Worcester, fabrique ce fromage de brebis anglais à la saveur subtile, légèrement salée.

Berkswell : autre fromage de brebis anglais de type manchego, fait avec du lait cru par Stephen Fletcher dans les Midlands. Il présente une croûte naturelle beige et une texture dense et crémeuse, assez friable. Il est légèrement salé, avec un goût de noisettes assez prononcé.

RECETTE

Croquettes pour tapas

Battez ensemble 1 cuillerée à soupe d'huile d'olive, 2 cuillerées à soupe de farine et 10 cl de lait. Faites cuire ce mélange pendant 2 ou 3 minutes et laissez refroidir. Ajoutez 100 g de crevettes cuites et de manchego râpé, salez et poivrez. Réfrigérez cette préparation et façonnez des boules de la taille d'une noix. Trempez chaque boule dans de l'œuf battu puis dans la chapelure. Finalement, faites-les frire pour obtenir de délicieuses croquettes chaudes et croustillantes.

Maroilles

*C*e fromage très piquant originaire des Flandres fut créé au Xe siècle par les moines de l'abbaye de Maroilles.

Aujourd'hui, il est toujours fabriqué localement sous diverses formes et dimensions. La croûte lavée, rouge orangé, est reconnaissable à ses stries. Il est enveloppé et emballé dans des boîtes. L'idéal est d'ouvrir la boîte avant de l'acheter pour vous assurer que le fromage est en bon état.

La pâte d'un bon maroilles est souple, légèrement boursouflée mais pas trop, et présente de nombreux petits trous. La croûte possède un arôme prononcé, riche en viande. La pâte dégage un arôme de même nature, mais un peu plus léger. Sa saveur est excellente, salée, avec une note de viande et une pointe de citron. Ce n'est pas un fromage pour les gens sensibles.

lait	lait de vache
variété	pâte molle, croûte lavée
mat. grasse	de 45 à 50 %
affinage	4 mois
saveur	très prononcée
vin	nuits-saint-georges

ci-dessus : *un plateau composé de fromages à croûte lavée. Ici, du livarot,*
du maroilles et de l'époisses.

VARIANTES

Gris de Lille : fromage presque identique à son voisin le maroilles.

Rollot : ce fromage de type maroilles originaire de la ville de Rollot,
dans la Somme, aurait rapporté à son créateur une pension à vie de la
part du roi Louis XIV qui en fit son fromager attitré, tant il appréciait
son fromage. De forme ronde ou cardioïde, le rollot – également
appelé «guerbigny» – possède une croûte orange humide et une
souple pâte jaune parcourue de petits trous. La saveur est assez puissante et épicée.

Boulette d'Avesnes et dauphin : à l'origine, on le fabriquait en
chauffant le babeurre pour précipiter les solides et il était réservé à
une consommation domestique. Aujourd'hui, il est élaboré en laiterie
industrielle avec des maroilles non réussis, aromatisés aux fines herbes
et aux épices et moulés à la main en forme de cônes irréguliers. Certains fromages ont une croûte lavée très rouge, alors que d'autres sont
colorés. Sa saveur est aussi intense que sa couleur.

Maytag

Iowa, États-Unis

*F*abriqué pour la première fois en 1941, cet excellent bleu américain est le produit des efforts conjoints de l'université de l'Iowa et de la Maytag Dairy Farm de Newton. Sa réputation est maintenant établie dans le monde entier ; 80 pour cent de la production se vend par correspondance et le reste au magasin de la ferme.

Il se présente sous forme de meules de dimensions variées dont la croûte a été retirée, et enveloppées de papier d'aluminium. La pâte, très blanche, est d'une texture épaisse et friable à l'aspect de caillé. Les veinures vertes sont bien réparties. Le fromage risque de suinter un peu, mais un séjour au réfrigérateur l'asséchera et on pourra le couper proprement au couteau. Sa texture crémeuse permet presque de le tartiner.

lait	lait de vache
variété	pâte bleue demi-dure
mat. grasse	48 %
affinage	6 mois
saveur	forte
boisson	bière

Il dégage une forte odeur de champignons, avec une touche d'agrumes ; son goût est prononcé, sans être désagréable. Il a une saveur douce, riche en noisettes, avec une note d'acidité citronnée rafraîchissante.

Servez-le seul ou mélangez-le avec du cottage cheese pour faire une sauce que vous proposerez en apéritif avec des bâtonnets de céleri, des dattes dénoyautées ou des petits dés de concombre. Employez-le dans les sauces de salade au bleu et autres sauces.

Le maytag tient sa texture originale de la méthode de fabrication mise en œuvre. Après avoir divisé le caillé, on le sort des cuves à la louche et on le dépose sur des « cerceaux » d'étamine installés à califourchon sur les cuves afin de faire écouler le petit-lait. Le caillé est ensuite saupoudré de sel et de moisissures, puis roulé d'avant en arrière dans l'étamine pour bien le mélanger. On transfère ensuite les cerceaux sur les tables d'égouttage et on les retourne toutes les 20 ou 30 minutes pour que le reste du petit-lait s'écoule.

Fritz Maytag, de la quatrième génération des Maytag, en charge des laiteries, pense que ce processus de retournement permet aux petits trous de rester dans la pâte et à la moisissure de se développer à l'intérieur, alors que le pressage les supprimerait. Les fromages sont ensuite salés et laissés ainsi pendant 3 jours ; puis l'on perce davantage de trous dans la pâte pour augmenter la quantité de moisissure. Les meules sont ensuite transportées dans une cave pour un séjour de six semaines pendant lequel la moisissure se développera à l'extérieur et à l'intérieur. La moisissure extérieure est retirée, les fromages sont paraffinés avant d'être stockés dans une autre cave plus fraîche. C'est alors que le fromage prend sa véritable saveur. Juste avant de le mettre en vente, quelques échantillons sont prélevés et d'autres trous sont percés, puis la paraffine est retirée et le fromage emballé.

Milleens

Ouest de l'Irlande

$\mathscr{C}$e fromage, l'un des meilleurs que l'Irlande ait produit au cours de ces dernières années, est fabriqué par Norman et Veronica Steele dans leur ferme de West Cork. Ils utilisent le lait de leurs vaches et de celles de leurs voisins, qui paissent l'herbe des pâturages du mont Mishkish, surplombant l'Atlantique.

Les fromages se présentent sous forme de disques de 1,3 kg ou de 230 g. Ils sont affinés à la ferme pendant deux ou trois semaines. Certains détaillants les vendent à ce stade de mûrissement, alors que d'autres laissent vieillir le fromage de quatre à six semaines supplémentaires.

Le milleens possède une croûte d'une merveilleuse couleur orange rosé, une pâte ferme et crémeuse. En bon fromage à croûte lavée, il dégage un arôme de terroir ; sa riche saveur se caractérise par une délicate note florale qui s'attarde sur le palais.

Servez-le seul en fin de repas ou avec du pain au lait et de la bière brune irlandaise. Sinon, coupez-le en tranches et mettez-le dans une salade avec des pointes d'asperges et des rouleaux de jambon de Parme.

lait	lait de vache non pasteurisé
variété	pâte molle, croûte lavée
mat. grasse	45 %
affinage	4 à 10 semaines
saveur	modérée
vin	chardonnay

Mimolette

*L*e fromage affiné à point ressemble à un ballon de football orange saupoudré de farine blanche. Il possède une texture originale, plutôt caoutchouteuse et une saveur particulière. La croûte du fromage jeune est assez tendre, mais à mesure qu'elle vieillit, elle devient épaisse et piquetée de trous profonds où prolifèrent les acariens du fromage qui donnent cette apparence poudreuse aux fromages vieux.

La pâte est d'une teinte orange vif qui fonce près de la croûte. Sa texture est ferme, proche de celle du caramel. Le fromage jeune présente une saveur et un arôme assez doux ; vieilli, il se signale par une odeur forte qui évoque le médicament. Le goût de la mimolette à point est prononcé et acidulé, avec une touche d'agrumes et de noisettes grillées.

Servez la mimolette avec un assortiment d'autres fromages, dégustez-la avec du pain noir et des cornichons ou des concombres doux-amers. La mimolette se râpe bien et convient à un usage culinaire.

lait	lait de vache
variété	pâte dure, pressée, croûte naturelle brossée
mat. grasse	45 %
affinage	2 mois à 2 ans
saveur	modérée à forte
boisson	bière

Morbier

Franche-Comté

*A*u premier coup d'œil, on a l'impression que ce fromage du Jura est séparé en son milieu par une bande de moisissure, mais en réalité, il s'agit de suie. Par le passé, il était fabriqué avec les restes de caillé d'autres fromages. On protégeait le caillé du premier jour par une couche de suie en attendant d'ajouter le caillé du jour suivant.

La production du morbier s'effectuait en hiver, dans les fermes de basse altitude. Aujourd'hui, elle a principalement lieu dans des laiteries industrielles, avec le lait d'une seule traite ; la suie sert de décoration.

Le meilleur morbier, fait avec du lait non pasteurisé – il est estampillé «lait cru» – se présente sous la forme de cylindres aplatis. Sa croûte est gris-brun, sa pâte souple et de couleur ivoire. Il dégage un arôme végétal de noisettes et de foin. Servez-le en snack avec des crackers ou confectionnez des sandwiches en ajoutant un chutney doux. Le morbier se râpe facilement et donne une subtile saveur de fromage aux légumes et aux sauces.

lait	lait de vache
variété	pâte demi-dure, pressée, croûte naturelle brossée
mat. grasse	45%
affinage	2 à 3 mois
saveur	douce
vin	pinot gris d'Alsace

Mozzarella

Sud de l'Italie

$\mathcal{L}$ a véritable mozzarella est fabriquée avec du lait de bufflonne. Des troupeaux de buffles paissent en Campanie (région située au sud et à l'ouest de Naples) depuis le IIe siècle de notre ère. Éliminés par les nazis pendant la Seconde Guerre mondiale, ils ont ensuite été reconstitués.

La production de mozzarella au lait de bufflonne est à nouveau florissante, mais une grande quantité de ce fromage est faite avec du lait de vache, non seulement en Italie mais également dans plusieurs autres pays. Toutefois, il n'y a pas de comparaison possible entre les deux variétés. La mozzarella de bufflonne se distingue par une consistance plus tendre et moins caoutchouteuse, et un goût nettement meilleur. Elle mérite vraiment que l'on fasse l'effort d'en trouver.

La mozzarella italienne est produite sous forme de petites bourses ovales et conservée dans des bols ou des sacs en plastique scellés remplis de petit-lait. La majeure partie de la mozzarella non italienne est vendue

lait	lait de bufflonne ou de vache
variété	pâte molle, cuite et filée
mat. grasse	45 %
affinage	1 à 3 jours
saveur	très douce
vin	chardonnay ou chablis

Bocconcini : ces petits fromages, le plus souvent fabriqués avec du lait de vache, sont présentés sur le comptoir, dans des saladiers remplis de petit-lait. Servez-les avec des fines herbes hachées et de l'huile d'olive vierge extra.

Bufala provola : ce fromage fabriqué en Campanie est fumé à la paille dans un récipient cylindrique.

Mozzarella affumicata : cette autre version fumée de la mozzarella se présente sous la forme de boules plus grosses qui ne risquent pas de s'effriter lors du fumage. Les fromages sont suspendus dans des tonneaux pendant que l'on brûle des copeaux de bois au fond ; ils prennent ainsi un aspect brun-noir.

Scamorza : type de mozzarella plus compacte, fabriquée dans le Piémont ainsi que dans l'Italie du Sud, et également aux États-Unis, à Dallas. Les fromages sont fumés au-dessus d'un feu de coquilles de noix de pécan.

ci-dessus : *mozzarella et salade de tomates.*

sous forme de petits pains rectangulaires. C'est un fromage de couleur blanche à la peau très fine et brillante. Le fromage jeune a une texture assez souple et élastique ; il est assez facile de le couper en tranches. En mûrissant, sa pâte devient plus tendre et sa saveur s'affirme. Faites attention cependant à ne pas le laisser vieillir trop longtemps, car il se gâtera.

La mozzarella au lait de bufflonne mérite d'être servie nature, tandis que les versions au lait de vache gagnent à être aromatisées. Servez la première en tranches, simplement arrosée d'un filet d'huile d'olive vierge extra ou avec quelques fruits rouges ou des kiwis. Vous confectionnerez une excellente salade tricolore en l'associant avec des tomates et des avocats, ou bien servez-la avec des rondelles d'oranges et des olives, ou avec des poivrons rouges et verts grillés et des tomates séchées coupées en fines lanières.

Cuisinée, la mozzarella devient extrêmement filandreuse ; c'est un fromage idéal pour les pizzas.

La mozzarella est un fromage à « pasta filata » (pâte filée). On ajoute une culture bactérienne et de la présure au lait pour le faire coaguler ; le caillé est ensuite divisé en morceaux assez petits. On le laisse durcir, puis il est égoutté pour éliminer le petit-lait et pétri dans l'eau bouillante jusqu'à obtention d'un amas à l'aspect lisse et brillant. Il est ensuite découpé en petits morceaux et façonné en fromages individuels qui sont plongés dans la saumure et emballés pour la vente. Lorsque vous achetez de la mozzarella, assurez-vous que le fromager vous donne suffisamment de petit-lait pour la conserver. Si elle est dans un sachet, vérifiez que le petit-lait ne s'est pas évaporé.

Canapés d'aubergines

RECETTE

Mélangez 400 g de tomates pelées avec 1 cuillerée à soupe de purée de tomates, une gousse d'ail écrasée, une pincée d'origan séché, du sel et du poivre. Faites bouillir en remuant de temps en temps jusqu'à ce que le mélange épaississe. Coupez 2 aubergines en 16 rondelles environ. Frottez-les à l'huile d'olive et mettez-les sous le gril du four. Faites-les cuire 8-10 minutes en les retournant. Étalez la sauce tomate sur les aubergines grillées et garnissez de tranches de mozzarella. Mettez les aubergines sous le gril et faites-les cuire pendant 2 à 3 minutes jusqu'à ce que le fromage fasse des bulles.

Munster

Alsace

*L*es collines d'Alsace ne produisent pas seulement du bon vin, mais aussi ce fromage très relevé, fabriqué dans le joli village de Munster, entouré de vignes et de pâturages. Le munster doit obligatoirement venir de cette région pour bénéficier d'une AOC.

Le munster se présente sous le forme de petits cylindres emballés dans des boîtes en bois. Certains fromages, de taille plus réduite, sont seulement enveloppés dans du papier ; ils n'ont ni la texture ni la saveur des grands modèles.

Lorsqu'il est jeune, le fromage présente une croûte rouge rosé, mince mais ferme, et une pâte blanche. La croûte devient ensuite brun-roux foncé et l'intérieur jaune paille. La pâte souple, avec de petits trous, devient presque crémeuse en vieillissant.

La croûte exhale un fort arôme de terroir avec une pointe de citron qui se transmet à la pâte ; celle-ci a une saveur prononcée avec un fort goût

lait	lait de vache
variété	pâte molle, croûte lavée
mat. grasse	de 45 à 50 %
affinage	1 mois
saveur	forte
vin	gewurztraminer

de viande. Servez le munster en fin de repas avec des fruits et du vin d'Alsace. Mettez un bol de graines de carvi, de cumin ou de fenouil sur la table afin que chacun puisse en saupoudrer son fromage avant de le savourer. En Alsace, le munster n'est jamais placé très loin de ces épices.

Évitez de choisir un fromage trop vieux, qui dégage une odeur d'étable à la limite du supportable.

VARIANTES

Géromé : fromage fabriqué en Lorraine, identique au munster mais légèrement plus gros.

Lingot d'or : autre variante du munster, cette fois originaire de Contrexéville, une ville célèbre pour son eau minérale. Ce fromage porte bien son nom, car il ressemble vraiment à un lingot.

Chaumes : ce fromage porte le nom des hauts pâturages des Vosges, mais il est fabriqué industriellement dans le sud-ouest de la France ; agréable et relativement doux, il n'hérite que d'une partie de la riche saveur noisetée du munster. Le Chaumes possède une croûte dure brun-jaune, une pâte jaune doré à la texture ferme, plutôt élastique, percée de quelques trous. Sa saveur est riche et crémeuse, avec de subtiles notes de noisettes.

Munster allemand : il existe en Allemagne plusieurs villages du nom de Munster (ou Münster), mais aucun n'est le berceau de ce fromage de fabrication industrielle. Le munster allemand présente une texture plus ferme et plus aérée que le fromage français. Sa saveur forte et agréable est dépourvue de la richesse de l'original.

Munster américain : le seul avantage de ce fromage très fade est de fondre aisément.

Ossau-iraty-brebis-pyrénées

S u d - o u e s t   d e   l a   F r a n c e

*É*galement appelé «iraty», c'est un fromage originaire du pays Basque français. Initialement fabriqué avec du lait de chèvre non pasteurisé, il est maintenant produit en grande quantité par des laiteries industrielles.

Il se présente sous forme de cylindres de taille moyenne aux flancs arrondis. La croûte est de couleur gris-beige ; la souple pâte jaune pâle est parcourue de petits trous et de fissures.

L'arôme aigre très particulier évoque le vin, avec une note de terroir et un goût acidulé et épicé. Ce fromage laisse en bouche une saveur à la fois douce et salée, teintée de citron et de moisissure de feuilles.

Servez-le avec d'autres fromages, accompagné de pommes, de raisins ou de poires, ou bien seul avec du jambon de Bayonne et du saucisson sec. Utilisez-le également dans les salades et les sandwiches. Dans sa région natale, l'iraty ne s'emploie pas beaucoup en cuisine, mais il est excellent râpé sur des pommes de terre en robe de chambre ou dans le risotto.

lait	lait de brebis
variété	pâte dure, pressée, croûte naturelle brossée
mat. grasse	de 45 à 50 %
affinage	3 mois
saveur	modérée
vin	cahors

Parmigiano reggiano

Italie du Nord

*C*e fromage, généralement connu sous le nom de «parmesan», est traditionnellement utilisé par les grands chefs français – le reste du monde a suivi l'exemple. Le parmesan, qui appartient à la famille des granas (fromages italiens à pâte très dure et granuleuse), est fabriqué depuis plusieurs centaines d'années dans de petites fermes laitières ou *caselli* de la vallée du Pô.

Aujourd'hui, plus de deux millions de fromages sont produits chaque année, mais ils ne peuvent être fabriqués que dans certaines régions de l'Émilie-Romagne, selon une réglementation très stricte. Ils se présentent sous forme de cylindres aux flancs arrondis qui ressemblent à des petits tonneaux de bière. La croûte, brillante, de couleur brun-doré, porte en incrustation le nom du fromage sur toute sa surface. La pâte est d'une jolie couleur jaune paille ; d'une texture granuleuse et friable, elle durcit à mesure que le fromage mûrit.

Le parmesan est parcouru de veines transversales qui le rendent difficile à couper avec un couteau. La meule est ouverte avec un outil à large lame puis débitée en morceaux irréguliers. L'arôme du parmesan, reconnaissable entre tous, est riche en fruits secs – raisins surtout – et en vin. Lorsque le fromage est bon, la saveur est riche et fruitée, avec une note salée. La pâte renferme des cristaux de caséine croustillants et offre un arrière-goût qui s'attarde sur le palais.

On croit le plus souvent que le parmesan est un condiment à saupoudrer sur les pâtes, les soupes et autres mets, ou à utiliser en cuisine, mais c'est aussi un délicieux fromage de table, en particulier lorsqu'il est jeune ou modérément vieux. Les Italiens le servent en morceaux à la fin du repas, avec des figues ou des poires, ou comme amuse-gueule à l'apéritif.

En cuisine, il se prête à de multiples usages. En fines lamelles, dans une salade, ou avec du carpaccio ou des cœurs d'artichauts crus, par exemple. Râpé, il aromatise les pâtes de toutes sortes (hormis les recettes au poisson). On en met également dans le pesto, les soupes et les gratins de légumes (les aubergines au parmesan son délicieuses). Outre son excellente saveur, le parmesan fond aisément sans devenir filandreux. Il s'emploie dans presque tous les mets qui se cuisinent avec du fromage, et on le mélange souvent à d'autres fromages pour ajouter du goût. Essayez-le avec du cheddar dans le gratin de choux-fleurs, avec du gruyère dans le soufflé au fromage ou avec de l'asiago dans les macaronis au fromage.

Le parmesan, qui fait l'objet d'un très long affinage, se digère beaucoup mieux que d'autres fromages. En Italie, on incite les très jeunes enfants, les personnes âgées, les sportifs et les femmes à consommer du parmesan de façon régulière.

ci-dessus : *parmesan râpé sur une soupe aux pâtes et à la coriandre.*

GUIDE DE L'ACHETEUR

On achète souvent du parmesan râpé préemballé. C'est une erreur, car ce fromage-là n'a rien à voir avec celui que l'on achète au détail. Une fois râpé, le parmesan perd rapidement de sa saveur, c'est pourquoi il faut toujours l'acheter en blocs et le râper soi-même à la demande. Dans l'idéal, achetez votre parmesan chez un fromager qui le coupe sous vos yeux, mais ce n'est pas toujours possible.

Les véritables parmesans portent sur la croûte le nom du fromage ainsi que l'année de production. Les fromages destinés à l'exportation arborent une estampille spéciale ; il est donc facile de remonter jusqu'au producteur. Vous trouverez en magasin quatre parmesans différents correspondant à quatre stades de maturation :

giovane : jeune, 14 mois ;

vecchio : vieux, 18 mois-2 ans ;

stravecchio : fait, 2-3 ans ;

stravecchione : très fait, 3-4 ans.

Toutefois, le meilleur parmesan est *con gocciola,* c'est-à-dire que, lorsque l'on casse le fromage, de petites gouttes d'humidité apparaissent en surface. S'il est conservé dans de bonnes conditions, le parmesan se garde longtemps. À la maison, vous pouvez l'envelopper dans un torchon humide, puis dans du papier d'aluminium, et le stocker au réfrigérateur pendant plus de deux mois.

Le parmesan est fabriqué avec du lait cru, uniquement dans la période comprise entre le 1ᵉʳ avril et le 11 novembre. La production est tellement importante et l'affinage tellement long que l'offre parvient toujours à satisfaire la demande. Chaque livre de fromage nécessite 8 litres de lait.

On commence par mélanger le lait du soir avec le lait du matin partiellement écrémé, on ajoute une culture bactérienne et l'on chauffe le lait. Lorsque l'acide lactique atteint le degré requis, on ajoute de la présure. La coagulation se fait rapidement et le caillé est brassé et divisé avec un ustensile spécial à lame coupante (un tranche-caillé) afin d'obtenir des granulés de la grosseur d'un grain de blé, prêts pour la cuisson.

Le caillé, une fois chauffé, tombe au fond de la cuve et forme un amas solide. Il est recueilli dans des sacs en toile, puis posé dans des moules et légèrement pressé. Les fromages sont ensuite estampillés, plongés dans un bain de saumure et stockés pour l'affinage.

Au bout de quatorze mois, les fromages sont testés et notés. Le testeur se sert d'une sorte de marteau pour faire « sonner » le fromage et écouter soigneusement l'écho qui le renseigne sur ce qui se passe à l'intérieur et lui permet de savoir quel est son degré de qualité. Pour confirmer son diagnostic, il enfonce et fait pivoter dans le fromage un ustensile muni d'une gorge à bords très tranchants et effectue des prélèvements ; cela permet d'évaluer le degré de résistance de la pâte et de vérifier l'arôme et le goût. Une fois notés, les fromages seront mis en vente ou bien resteront en cave d'affinage pendant encore un certain temps.

lait	lait de vache non pasteurisé, entier et écrémé
variété	pâte très dure, cuite et pressée, croûte naturelle brossée et huilée
mat. grasse	de 28 à 32 %
affinage	1 à 4 ans
saveur	modérée à forte
vin	chianti

Pecorino

*D*ans les montagnes du centre et du sud de l'Italie, les vaches se font rares. On utilise alors du lait de brebis pour faire un fromage à pâte dure et compacte, appelé «pecorino». Chaque région produit son propre pecorino.

Le pecorino se vend frais, à point ou bien fait. La croûte change de couleur selon l'humeur du producteur. Certains, comme le pecorino senese, sont brossés avec de la purée de tomates, et d'autres, comme le pecorino romano, sont frottés à l'huile et à la suie.

Les fromages *freschi* (jeunes) ont généralement une pâte très blanche de texture assez friable, qui fonce et durcit à mesure que le fromage vieillit. Le pecorino vraiment fait peut être très dur, avec des cristaux de caséine.

L'arôme et la saveur changent en cours de maturation. Le fromage jeune est assez doux, avec une légère note citronnée, tandis que les fromages plus vieux sont en général extrêmement piquants et salés. Presque tous les fromages offrent une saveur noisetée et la nuance citronnée caractéristique des fromages de brebis.

Servez le pecorino jeune avec d'autres fromages en fin de repas, ou comme ingrédient d'un repas léger avec du pain aux olives, des radis et des tomates. Il est également très bon coupé en tranches et servi avec des tomates séchées débitées en lanières et de l'huile d'olive. Au début de l'été, les Toscans savourent leur pecorino avec des fèves fraîches.

Le pecorino plus vieux s'utilise râpé dans les plats régionaux typiques du sud de l'Italie. Essayez-le dans les tomates, les champignons et autres légumes farcis.

VARIANTES

Pecorino toscano : ce fromage toscan se déguste souvent jeune, lorsque sa texture est presque crémeuse. Les fromages plus vieux durcissent et ont une consistance plus crayeuse. Certains fromages sont faits avec un mélange de plusieurs laits : vérifiez si les mots *tutti di latte di pecora* ou *latte pecora completo,* qui signifient que le fromage est exclusivement au lait de brebis, figurent bien sur l'étiquette.

Pecorino romano : ce fromage fabriqué dans le Latium doit être affiné pendant au moins huit mois avant d'être vendu ; généralement, on le consomme plus vieux encore. De six à huit semaines de salage lui donnent une saveur particulièrement salée et piquante. Râpez-le ou débitez-le en fines lamelles et servez-le avec du salami et du pain, grignotez-le avec des olives ou saupoudrez-le sur des pâtes. N'achetez jamais de pecorino romano déjà râpé.

Pecorino sardo : arrivé à maturation, ce fromage sarde ressemble beaucoup au pecorino romano ; seul un expert sera capable de faire la différence. Une grande partie du pecorino romano mis en vente est en réalité du pecorino sardo ! On consomme souvent ce fromage jeune, au bout de deux ou trois semaines d'affinage.

Pecorino senese : il s'agit en réalité d'un pecorino toscan, dont la croûte est souvent frottée à la purée de tomates au lieu de l'huile et de la cendre utilisée habituellement.

Pecorino siciliano : ce pecorino de Sicile est également connu sous le nom de *canestrato* (ou *incanestrato*), qui fait référence aux motifs de vannerie laissés sur la croûte par le moule. Le pecorino siciliano a une saveur piquante, parfois rehaussée par l'ajout de safran et de grains de poivre à la pâte. Le pecorino siciliano se consomme très jeune, le lendemain du jour de sa fabrication, alors qu'il n'est pas encore salé. Appelé «tuma», il possède un goût délicat et une texture crémeuse.

FROMAGES DE BREBIS ANGLAIS

Au Royaume-Uni, ces dix dernières années, la production de fromages de brebis s'est sensiblement développée aussi bien dans les fermes que dans les petites laiteries. Ces fromages, qui se rapprochent du pecorino jeune, sont vendus dans des fromageries spécialisées ou directement à la ferme.

Duddleswell : ce fromage, fabriqué avec du lait de brebis par la Sussex High Weald Dairy à Uckfield, a un goût légèrement crémeux. Certains fromages sont aromatisés à la ciboulette ou au poivre.

Redesdale : vendu soit assez jeune (son goût est encore fin) ou à quatre mois (fort et richement parfumé), ce fromage de brebis, parfois aromatisé aux fines herbes, est fabriqué par la Northumberland Cheese Company à Otterburn.

Ribblesdale : petit fromage à croûte paraffinée rouge, à la saveur de noisettes, parfois fumé au bois de chêne et à la cendre (ribblesdale fumé).

Spenwood : ce fromage primé, fabriqué dans le Berkshire, possède une saveur riche très spécifique que l'on compare parfois à celle du parmesan jeune. Il est fait avec du lait de brebis non pasteurisé. Il présente une croûte naturelle et une pâte dure ; son affinage dure six mois.

Tala : ce nouveau fromage, qui porte le nom d'une petite rivière de Cornouailles, est fait avec le lait de la ferme. Il possède une croûte naturelle et une pâte de couleur jaune primevère. Il exhale un arôme butyreux avec des notes de vin et de noisettes, et offre un goût en accord, avec une pointe de noisettes grillées qui laisse une nuance acidulée en bouche. Il existe aussi une version fumée à la texture plus ferme.

Tyning : comparable au pecorino italien, ce fromage est fait à Timsbury, près de Bath, avec du lait de brebis cru.

Pecorino américain : Lucie et Roger Steinkamp fabriquent ce fromage de style pecorino, doux à pâte demi-dure, à Hayward dans le Minnesota. Ils produisent également une version fumée. Dans le même genre, mentionnons également l'Idaho Goatster, fabriqué par Karen et Chuck Evans dans l'Idaho.

Picodon

Sud de la France

*O*ù que vous alliez dans le sud de la France, vous trouverez une version de ce succulent petit fromage de chèvre. Il se présente sous la forme de petits disques peu épais de 80 à 100 g et se vend à divers stades de maturation, de jeune et crémeux à vieux et très dur. Les meilleurs sont les picodons AOC de l'Ardèche et de la Drôme. Évitez d'acheter les copies au lait de vache fabriquées par de grandes laiteries des environs.

Le picodon présente une mince croûte naturelle et une pâte blanche. À mesure qu'il vieillit, pâte et croûte durcissent. Sa saveur s'intensifie également, elle devient piquante et noisetée. Certains fromages jeunes sont piqués et trempés dans l'eau-de-vie locale, ou marinent dans l'huile d'olive avec des herbes.

Servez le picodon seul avec du pain croustillant et des fruits. Faites rôtir les fromages entiers au four et servez-les sur un lit de feuilles de salade. Parsemez de raisins secs marinés dans le vinaigre balsamique et de pignons de pin grillés.

lait	lait de chèvre
variété	pâte demi-dure à dure, croûte naturelle
mat. grasse	45 %
affinage	1 à 6 semaines
saveur	modérée
vin	côtes-de-provence

Pont-l'évêque

*C*e fromage piquant est toujours fabriqué comme il y a des siècles dans les fermes du pays d'Auge en Normandie. Vous trouverez du pont-l'évêque fermier sur les marchés et dans les fromageries locales. Toutefois, certaines grandes laiteries font un fromage laitier tout à fait convenable avec du lait pasteurisé.

La forme carrée du pont-l'évêque est obtenue en divisant le caillé en blocs plutôt qu'en petits morceaux ou en grains ; un bloc équivaut à un fromage. Ces blocs sont ensuite égouttés et placés dans des moules carrés. Après avoir été salés à sec, les fromages sont affinés dans des caves humides.

En cours de maturation, ils sont lavés à la saumure ; on obtient ainsi une mince

lait	lait de vache
variété	pâte molle, croûte lavée
mat. grasse	45 à 50 %
affinage	6 à 8 semaines
saveur	Pungent
vin	Rioja ou calvados

croûte de couleur fauve qui donne au fromage sa saveur caractéristique. Son arôme puissant fait du pont-l'évêque un des dix fromages français les plus relevés, mais il ne doit pas non plus être trop fort au point d'être nauséabond.

La pâte jaune est souple, parcourue de quelques petits trous. La croûte dégage un arôme puissant sans être envahissant. Elle dégage des odeurs de terroir teintées de lard et d'ammoniac. La pâte exhale un arôme beaucoup plus subtil qui évoque les noisettes. Sa saveur est assez douce, avec des notes d'herbe et de petits sablés.

Servez le pont-l'évêque en fin de repas avec du raisin. En cuisine, sa saveur s'harmonise avec celle des pommes de terre ; il est excellent dans les gratins, avec des oignons et des champignons.

ci-dessus : *gratin de pommes de terre et de champignons.*

VARIANTES

Pavé d'Auge ou pavé de Moyaux : ce sont des versions plus grosses et plus fortes du pont-l'évêque, affinées plus longuement – peut-être trois ou quatre mois. La pâte est ferme et parcourue de nombreux trous ovales, la saveur plutôt amère.

Calvador : c'est la marque déposée d'une version plus douce et assez fade du pont-l'évêque, en forme de petit disque.

Vieux Pané : une invention vaguement inspirée du pont-l'évêque. Il est carré et sa croûte lavée orange porte la marque du moule. Sa pâte jaune pâle est assez élastique, et peut devenir coulante si le fromage reste ouvert pendant trop longtemps. Sa saveur est assez riche sans toutefois égaler celle du pont-l'évêque.

Port-Salut

*L*e Port-Salut a été inventé dans l'ouest de la France, à l'abbaye de Port-du-Salut à Entrammes. C'était un fromage très apprécié, aussi les moines ont-ils déposé en 1938 le nom de marque Port-Salut pour le protéger des imitations. Après la Seconde Guerre mondiale, ils ont décidé de céder la marque à un grand producteur laitier. Ainsi, le Port-Salut est maintenant fabriqué en Lorraine, et les moines vendent leur propre fromage sous le nom d'« entrammes ».

Produit sous forme de disques plats de taille modérée, le Port-Salut présente une croûte lavée de couleur fauve et une pâte jaune, lisse et élastique. Son arôme et sa saveur sont très doux, avec une pointe de noisettes. C'est un fromage à savourer en toutes occasions.

Servez-le coupé en dés avec des fruits ou des crudités, ou en tranches dans des sandwiches avec des pickles doux, ou bien encore fondu dans un hamburger (voir ci-contre).

ci-contre : *hamburger au pain ciabatta.*

Saint-paulin : ce fromage était l'une des imitations originales du Port-Salut fabriqué par les moines. Aujourd'hui, il est fabriqué dans une autre laiterie et ressemble beaucoup au Port-Salut.

Père joseph : ce fromage à pâte demi-dure inspiré du Port-Salut possède une croûte paraffinée noire et une pâte jaune pâle parcourue de petits trous. Sa saveur est riche et agréable, avec un arôme de noisettes.

Oka : ce fromage était jadis fabriqué par des moines bretons qui émigrèrent au Canada à la fin du XIXᵉ siècle. Ils continuèrent à fabriquer ce fromage de type Port-Salut dans le monastère du village d'Oka, près de Montréal. Il est aujourd'hui fabriqué par la plus grande coopérative laitière du Canada, mais toujours affiné dans les caves du monastère. Ce fromage a une meilleure texture, moins caoutchouteuse que son cousin français, et une saveur plus intéressante.

Ridder : ce fromage relativement nouveau originaire de Scandinavie ressemble beaucoup au saint-paulin et au Port-Salut. Il est produit sous forme de meules plates, avec une croûte lavée orange et une pâte jaune. Il a une texture très butyreuse et une saveur légèrement noisetée.

Trappiste : c'est un terme générique inventé par les moines trappistes pour désigner tous les fromages fabriqués dans les monastères, dont le Port-Salut et le saint-paulin. Cette appellation serait également celle d'un fromage fabriqué en Bosnie dès 1885.

lait	lait de vache
variété	pâte demi-dure, croûte lavée
mat. grasse	45%
affinage	1 mois
saveur	douce
vin	bergerac ou valpolicella

Provolone

Italie du Sud

C'est le fromage le plus consommé en Italie du Sud, où on le trouve dans toutes les cuisines. Ce fromage est à pâte filée *(pasta filata)* comme la mozzarella ; mais, au lieu de le consommer jeune, on le trempe dans la saumure et on le suspend pour le faire sécher. On obtient alors un fromage très différent.

Le provolone se présente sous des formes et des dimensions variées. Certains fromages sont vendus jeunes, à deux mois, mais l'affinage dure normalement six mois ou plus.

Le provolone jeune est doux et légèrement épicé. Les fromages plus vieux ont une pâte de couleur jaune paille qui a parfois tendance à se craqueler. Un bon provolone exhale un fort arôme végétal qui évoque la salade, avec une pointe de citron. Son goût est riche et épicé, avec la même saveur végétale additionnée d'un peu de sel.

Pour l'apéritif, servez le provolone jeune en tranches sur une assiette avec d'autres fromages ou avec des olives et des radis piquants. Mettez-le dans des sandwiches avec des rondelles de tomates et des oignons crus. Les fromages plus vieux se râpent mieux et s'emploient dans de nombreux mets. Essayez-les avec des gnocchis.

lait	lait de vache
variété	pâte dure, filée, croûte naturelle
mat. grasse	45 %
affinage	2 mois à 2 ans
saveur	modérée à forte
vin	chianti

Burrini, butirro et burri : ce sont tous des noms locaux qui désignent des morceaux de provolone de forme ovale affublés d'un petit «chignon».

Burrata : plus gros que le burrini, il lui ressemble car les morceaux de provolone sont enveloppés en forme de sac autour d'un mélange de mozzarella et de crème ; le sac est noué avec du raphia. À déguster jeune.

Caciocavello : fromage en forme de poire fabriqué en Campanie d'après une recette identique à celle du provolone.

Provolone picante : ce provolone affiné pendant un an ou plus possède une saveur piquante et poivrée.

Provolone américain : il est souvent de couleur beige, doux et souple. Il ressemble plus à la mozzarella de fabrication industrielle qu'au provolone, mais celui que fabrique la BelGioioso Cheese Inc., à Denmark dans le Wisconsin, fait exception. Errico Auricchio fait partie de la quatrième génération de la famille à fabriquer du fromage, mais il est le seul aux États-Unis. Il s'est installé avec sa famille en 1979 et a créé son entreprise spécialisée dans la fabrication des fromages italiens d'après d'authentiques recettes italiennes ; son provolone est excellent. Il propose un provolone piquant vieux de sept mois, et un autre extra piquant, vieux d'un an ou plus.

Pastorello : ce fromage à pâte filée australien est fabriqué dans l'État de Victoria. C'est un fromage dur, avec une agréable saveur piquante.

Pyrénées

*L*es fromages pyrénéens les plus connus sont les fromages de brebis, mais une production importante de fromages de vache a démarré en plaine. Plusieurs laiteries fabriquent des fromages à pâte demi-dure de leur invention, qui tous ont une saveur fade et dont beaucoup sont vendus à l'exportation.

Habituellement étiquetés «fromage des Pyrénées», ils se présentent sous forme de meules; leur pâte jaune, ferme mais souple, est parsemée de nombreux petits trous. La croûte est de couleurs variées, teinte ou paraffinée. Leur saveur est très douce.

Parmi les marques déposées les plus distribuées, on trouve le doux de montagne (croûte paraffinée brune), le Saint-Albray (croûte orange pâle), le Lou Palou et le Capitoul. Servez-les coupés en tranches avec d'autres fromages ou coupés en dés dans les salades. Utilisez-les pour aromatiser des quiches au poisson et des plats en sauce.

lait	lait de vache
variété	pâte demi-dure
mat. grasse	50 %
affinage	1 mois
saveur	très douce
vin	chardonnay léger

Raclette

Suisse

*L*e terme de «raclette» fait référence à une variété de fromages que l'on fait fondre pour confectionner un mets traditionnel suisse. Ce sont des fromages de montagne, à l'origine fabriqués dans le Valais, puis maintenant dans toute la Suisse.

Les «fromages à raclette» sont produits en meules moitié moins grosses que les meules de gruyère, avec une croûte beige à brune et une pâte ivoire foncé à jaune. Leur texture est très onctueuse, et ils semblent fondre dans la bouche même sans être chauffés. Leur arôme évoque l'étable, avec une touche de fruits et de vin. Leur goût est en accord avec cet arôme, avec une pointe de vin et une nuance acidulée.

En Suisse, les fromages à raclette sont généralement servis cuits, mais ils sont excellents coupés en tranches et accompagnés de jambon cru. En cuisant, le fromage forme un délicieux amas velouté vivement apprécié par les amateurs de raclette.

lait	lait de vache non pasteurisé
variété	pâte demi-dure
mat. grasse	45%
affinage	2 à 3 mois
saveur	forte
vin	beaujolais, vins de Savoie

Reblochon

Savoie

*P*endant de nombreuses années, ce fromage est resté un secret bien gardé au cœur des montagnes de la Haute-Savoie. Il était fabriqué avec le lait que les bergers laissaient volontairement dans le pis des vaches (lait de rebloche ou de seconde traite) les jours où les régisseurs passaient pour comptabiliser le produit de la traite. Après leur départ, ils terminaient la traite et fabriquaient un fromage pour leur usage personnel.

lait	lait de vache
variété	pâte molle, croûte lavée
mat. grasse	50 %
affinage	7 à 8 semaines
saveur	modérée
vin	bordeaux

Aujourd'hui, le reblochon est également fabriqué dans des laiteries industrielles avec du lait pasteurisé. Ces fromages se présentent sous forme de petits disques à la croûte lavée de couleur gris rosé. La pâte est très souple, parsemée de petits trous. L'arôme est assez puissant, la saveur d'une exquise douceur, fruitée et crémeuse. Servez le reblochon seul en fin de repas avec du céleri en branches et des radis, arrosé de vin de bordeaux. Enrobez-le de chapelure et servez-le avec un chutney de fruits maison.

Ricotta

Italie

$\mathcal{L}$a ricotta, produit dérivé de l'industrie fromagère italienne, est fabriquée avec le petit-lait recueilli après la division du caillé. Ce petit-lait fut longtemps considéré comme difficilement exploitable, puis on découvrit que si on le chauffait, les particules de caséine s'aggloméraient et créaient un nouveau caillé. La ricotta s'obtient en égouttant un tel caillé.

La ricotta est vendue comme un fromage blanc frais à la consistance granuleuse. En Italie, dans les fromageries, elle a souvent la forme d'une cuvette renversée et porte les marques du moule, mais en général, elle est vendue dans des faisselles en plastique. La ricotta a une saveur douce.

Servez-la en fin de repas, assaisonnée de sel, de poivre et de fines herbes hachées, ou garnie de fruits rouges. Confectionnez des canapés garnis de ricotta et de crevettes, ou des salades avec de la ricotta, du melon et du jambon cru. La ricotta se prête à tous les emplois culinaires et agrémente particulièrement bien les pâtes.

lait	lait et petit-lait vache, brebis et chèvre
variété	frais
mat. grasse	fromage maigre
affinage	non
saveur	douce
vin	vins pétillants ou champagne

Robiola

*R*obiola est un terme générique qui désigne des fromages frais crémeux fabriqués dans la région d'Asti, dans le Piémont, bien connue pour son mousseux. L'un des plus connus est fabriqué à Roccaverano. On utilise du lait de vache, de brebis ou de chèvre selon la disponibilité.

Ce fromage se présente sous forme de disque assez grossier enveloppé dans du papier. S'il est de petite taille, il prend le nom de «robiolina». Dépourvu de croûte, il présente une pâte molle et mouillée, étonnamment blanche, assez salée. L'arôme est délicatement lacté, avec une touche de citron qui rehausse son goût en lui donnant un fini aigre. De temps en à autre, on brosse les robiolas à la moutarde avant de les affiner pendant trois semaines. Leur saveur est alors plus prononcée.

lait	lait de vache
variété	pâte molle, fraîche
mat. grasse	50%
affinage	non
saveur	douce à modérée
vin	prosecco

Le robiola se tartine aisément sur du pain frais ou des petits pains grillés suédois, et se sert également avec des salades et des fruits frais. En cuisine, il donne une consistance crémeuse aux soupes, sauces et plats de pâtes.

Roquefort

Aveyron

$\mathscr{C}$et excellent bleu a une longue histoire. Les Romains le connaissaient déjà au Ier siècle de notre ère, et il fut très prisé des empe-
reurs, des rois et des poètes. En 1411, une charte royale émanant de
Charles VI accorda aux habitants du village de Roquefort le monopole de
l'affinage de ce fromage dans les grottes de Combalou ; depuis lors, cette
tradition a toujours été respectée.

Le roquefort est fabriqué avec du lait de brebis non pasteurisé. Son
succès est tel que les troupeaux locaux ne produisent plus assez de lait
pour répondre à la demande. La Corse est venue à la rescousse : des centaines de fromages fabriqués en Corse sont ensuite expédiés sur le conti-
nent pour être affinés dans les
grottes de Combalou.

Produit en cylindres de 2,5 kg,
le roquefort n'a pas de croûte. Il est
emballé dans du papier d'aluminium. La pâte est très blanche, uniformément veinée de bleu. Sa texture est ferme et crémeuse, ce qui
permet de le tartiner. Il a un arôme
lacté, avec une touche de noisettes
et de raisins secs fruités.

ci-contre : *salade nappée de sauce au
roquefort.*

Sa saveur salée, d'une délicate richesse, laisse un goût acidulé en bouche. Les fromages destinés au marché français sont souvent moins salés que ceux réservés à l'exportation.

Servez le roquefort seul avec du céleri en branches ou du raisin, ou bien avec d'autres fromages. Composez un repas léger à base de roquefort avec une baguette de pain frais et des poires, ou une salade de cresson. Le roquefort est un grand fromage qui s'emploie dans toutes les recettes à base de bleu. Sa saveur subtile ne masquera pas celle des autres ingrédients. Utilisez-le pour faire des sauces de salade, des quiches, des feuilletés et des sauces pour des steaks grillés.

Lorsque vous achetez du roquefort, évitez les fromages au bord friable ou ceux qui sont peu persillés. Les meilleurs roqueforts sont qualifiés de «surchoix». Le roquefort se conserve assez bien au réfrigérateur. Enveloppez-le dans du papier d'aluminium et rangez-le dans le bac à légumes.

L'élaboration du roquefort n'a rien de compliqué, mais l'on veille avec un soin attentif à sa qualité. On commence par mélanger le lait du matin à celui de la veille, puis on ajoute de la présure. Deux heures plus tard, le caillé est divisé et transféré dans des moules perforés pour l'égouttage. À ce stade, on ajoute une moisissure de la famille des penicillums.

Les fromages sont ensuite entreposés pendant une semaine dans une salle spéciale et fréquemment retournés, puis on les sort délicatement de leur moule pour les transférer dans les caves de Combalou en vue de l'affinage. Là, ils sont trempés dans la saumure et percés avec une aiguille pour permettre à l'air des caves de pénétrer dans les fromages et d'activer la croissance des moisissures. Les fromages restent au moins trois mois, voire plus, dans les caves (tout dépend de l'importance de la demande).

La configuration de ces caves, qui se sont formées lorsque la montagne de Combalou s'est écroulée, a peu évolué depuis le XVIIe siècle. La ventilation se régule naturellement grâce aux fleurines, ou fissures, de la roche datant de l'époque de l'effondrement. Il règne donc dans ces caves une humidité et une température stables.

lait	lait de brebis non pasteurisé
variété	pâte bleue demi-dure
mat. grasse	45 %
affinage	3 à 6 mois
saveur	forte
vin	châteauneuf-du-pape ou sauternes

Pâtes au roquefort et aux noix

Faites cuire des pâtes fraîches, égouttez-les bien et réservez-les au chaud. Dans une casserole, mélangez du roquefort et de la crème fraîche liquide en quantités égales et chauffez à feu moyen. Laissez fondre le fromage en vous assurant qu'il n'adhère pas au fond, puis portez à la limite de l'ébullition. Versez cette sauce sur les pâtes. Remuez en ajoutant des noix hachées et du poivre du moulin.

RECETTE

Sainte-maure

Touraine, Poitou

*C*et appétissant petit fromage en forme de bûche est fabriqué dans le Poitou et en Touraine ; le fromage tourangeau se caractérise par la présence d'un morceau de paille en son cœur.

Le sainte-maure possède une croûte blanche duveteuse qui durcit et bleuit en vieillissant. La pâte est ferme mais se tartine aisément ; sa riche saveur légèrement caprine s'intensifie avec l'âge.

C'est votre goût personnel qui décidera du stade de mûrissement auquel consommer ce fromage.

Servez-le en fin de repas avec d'autres fromages, ou bien seul avec du pain frais et croustillant et des tomates. Utilisez-le dans les soupes ou les sauces si vous souhaitez introduire une saveur originale et attrayante. La saveur caprine tend à se dissiper lorsque le fromage est cuit.

lait	lait de chèvre
variété	pâte molle, croûte nature
mat. grasse	45 à 50 %
affinage	2 à 8 semaines
saveur	Medium
vin	chinon

VARIANTES

Sainte-maure cendré : c'est un sainte-maure qui a été roulé dans la cendre.

Ragstone : ce fromage de chèvre anglais en forme de bûche est comparable au sainte-maure.

Saint-nectaire

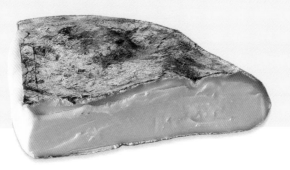

*M*algré son AOC, cet ancien fromage français originaire des montagnes d'Auvergne est surtout fabriqué en laiterie industrielle avec du lait pasteurisé, ce qui a pour effet d'affadir sa saveur. L'atmosphère des laiteries est si stérile que les bactéries qui se développent normalement sur la croûte et rehaussent le goût du fromage sont inhibées.

Le saint-nectaire se présente sous forme de grands disques aplatis. Sa croûte grisâtre est marquée de taches jaunes ou rougeâtres. La pâte jaune pâle, très souple, devient presque coulante en vieillissant. Ce fromage exhale un fort arôme de moisissures. La pâte seule possède un arôme doux et végétal ; la saveur est en accord (goût de terroir). Le saint-nectaire de fabrication industrielle reste ferme mais souple, avec une odeur de moisissures et une saveur douce.

Servez-le en fin de repas avec d'autres fromages ou bien coupez-le en tranches et confectionnez des canapés avec des rondelles de saucisson sec ou de salami.

lait	lait de vache
variété	pâte demi-dure, pressée, croûte naturelle
mat. grasse	45 %
affinage	2 mois
saveur	douce à forte
vin	côtes-du-rhône

Samsø

Danemark

$\mathcal{L}$e samsø fut d'abord une version danoise de l'emmental suisse, mais il s'est aujourd'hui doté d'un caractère propre, totalement différent. Autrefois issus d'une fabrication artisanale, le samsø et ses nombreux descendants sont désormais produits en laiteries industrielles.

Traditionnellement fabriqué sous forme de meules plates, il existe maintenant en gros pavés ; sa croûte sèche, de couleur jaune d'or, est généralement enrobée de paraffine jaune. Plus tendre que l'emmental, il présente une texture proche de celle du cheddar, mais qui devient parfois molle.

La pâte jaune pâle est percée de quelques trous luisants de la taille d'une cerise. Le fromage jeune possède une saveur assez douce et noisetée, qui se renforce et devient plus piquante avec l'âge. Toutefois, elle n'a pas la même richesse que celle de l'emmental. Fromage idéal pour les personnes qui n'apprécient pas les saveurs fortes, le samsø se prête à de nombreux usages.

lait	lait de vache
variété	pâte demi-dure, cuite et pressée, croûte naturelle
mat. grasse	45 %
affinage	3 à 6 mois
saveur	douce à modérée
vin	rouge de pays léger

Sa saveur douce en fait un fromage intéressant pour composer un plateau. Coupé en tranches, il s'associe bien avec d'autres fromages également émincés. Utilisez les tranches pour garnir des canapés typiquement danois avec des fruits et des pickles doux. Débitez le samsø en lanières pour agrémenter des salades ; mélangez-le avec du jambon haché, des cornichons et du céleri rave râpé pour confectionner une excellente salade du chef. Les fromages de la famille samsø fondent bien, en devenant légèrement filandreux.

ci-dessus : *mousse de fromages danois faite de samsø et de danish blue.*

VARIANTES

Danbo : ce membre de la famille samsø, au goût assez fade, est parfois aromatisé au carvi, ce qui rehausse grandement sa saveur.

Elbo : version rectangulaire du samsø, enrobée de paraffine rouge.

Fynbo : plus petit et plus doux que le samsø, il présente des yeux moins nombreux et plus petits. Il doit sa célébrité à son lieu d'origine, l'île de Fynbo, qui fut le lieu de résidence de Hans Christian Andersen.

Sovind : ce nouveau fromage est fabriqué d'après une recette traditionnelle de danbo, sensiblement de la même manière que le cave cheese (voir page 89) mais sans culture bactérienne. Le sovind vieillit dans un entrepôt battu par les vents salés de la mer du Nord. Il est un peu plus ferme que la plupart des fromages jaunes danois. Sa pâte est parcourue de nombreux petits trous. Sa saveur se rapproche de celle d'un cheddar doux.

Tybo : ce fromage ressemble beaucoup à l'elbo, avec des trous plus petits.

Sapsago ou schabzieger

Est de la Suisse

$\mathscr{C}$e fromage vert pâle du canton de Glaris est si particulier qu'il faut souvent du temps pour apprendre à l'aimer. Fait avec du lait écrémé et du babeurre, il est aromatisé au fenugrec et au mélilot, un trèfle sauvage qui pousse dans la région et qui donne au fromage son goût particulier.

Le sapsago porte plusieurs noms – il peut tout simplement s'appeler «fromage vert». Il se présente sous forme de petits cônes tronqués de 100 g environ appelés «stockli». Extrêmement dur, ce fromage s'utilise essentiellement râpé. Sa saveur évoque les feuilles de salade, la sauge et un mélange de fines herbes. Le sapsago s'emploie pour aromatiser les vinaigrettes, les sauces ou les plats de pâtes.

lait	lait écrémé et babeurre
variété	fermenté, pressé, sans croûte
mat. grasse	3%
affinage	non
saveur	très forte
boisson	bière

Sbrinz

Suisse

*P*eu connu en dehors de la Suisse, ce fromage de montagne à la pâte extra-dure doit vieillir presque deux fois plus longtemps que l'emmental ou le gruyère (il ressemble plus à un grana italien). Il se conserve longtemps, même dans un environnement qui n'est pas spécialement frais.

Produit sous forme de grosses meules, le sbrinz possède une croûte dure et épaisse de couleur brun doré et une pâte granuleuse extrêmement dure. Son arôme est acidulé et piquant, très spécifique, avec de riches nuances de café et de chocolat et une pointe de citron. Sa saveur est pleine de maturité, concentrée, avec une note de brûlé.

Le sbrinz est excellent débité en lamelles ultra-minces, servi à l'apéritif ou sur un lit de salade amère. Râpé, il fond bien et donne un délicieux goût piquant aux mets cuisinés. Il entre dans la composition d'un plat montagnard traditionnel à base de pâtes et de pommes de terre coupées en dés, cuites avec des oignons et de la crème, le tout saupoudré de sbrinz râpé.

lait	lait de vache non pasteurisé
variété	p. extra-dure, pressée, croûte natur. brossée
mat. grasse	45 %
affinage	2 à 3 ans
saveur	douce à modérée
vin	pinot blanc d'Alsace

Selles-sur-cher

Berry

*L*a vallée du Cher est le berceau de ce petit fromage de chèvre fabriqué à Selles-sur-Cher, près de Romorantin. C'est l'un des nombreux fromages de chèvre locaux, mais il se distingue de ses semblables par sa croûte cendrée.

Produit sous forme de disques de 100 g, le fromage présente une pâte très blanche qui contraste avec sa croûte gris-noir. La pâte est ferme mais tendre et humide lorsqu'il est jeune. Sa saveur est douce et noisetée. En mûrissant, le selles-sur-cher développe une moelleuse moisissure bleue sous la cendre, et la pâte durcit en prenant une saveur plus prononcée.

Servez-le à la fin du repas avec d'autres fromages, ou étalez-le sur du pain frais, des crackers ou des petits pains grillés suédois. Il est excellent servi seul avec des fruits ou avec une salade. Utilisez le fromage jeune pour farcir des figues mûres et servez-le en apéritif avec une vinaigrette au romarin.

lait	lait de chèvre
variété	pâte molle à ferme, croûte naturelle cendrée
mat. grasse	45 %
affinage	3 à 4 semaines
saveur	douce
vin	sancerre

Shropshire Blue

Angleterre

*M*algré son nom, ce fromage relativement nouveau n'a rien à voir avec le Shropshire. Il a été inventé et fabriqué en Écosse, mais des producteurs de stilton ont maintenant pris le relais. Sa méthode de fabrication est identique à celle du stilton, mais on ajoute du rocou au lait en même temps que la culture bactérienne et la moisissure.

Le fromage se présente sous forme de meules de taille moyenne ; il possède une croûte brune rugueuse. La pâte de couleur orange clair est parcourue de veinures bleu vif. Sa texture est ferme et crémeuse, mais légèrement friable aussi. Il a une saveur plus prononcée que celle du stilton, assez particulière, avec une note aigre évoquant le vin et des nuances d'orange et de citron, mais son arrière-goût est doux.

Ce «bleu orangé» est excellent servi seul ou avec d'autres fromages. Utilisez-le pour rehausser la couleur de pommes de terre farcies et du poulet cordon bleu.

lait	lait de vache
variété	pâte bleue demi-dure, croûte naturelle brossée
mat. grasse	de 48 à 55 %
affinage	3 mois
saveur	modérée
vin	bordeaux

Stilton

On ne trouve plus de stilton fermier aujourd'hui, et même le plus petit producteur, Colston Bassett, est passé au lait pasteurisé il y a quelque temps. L'art qui présidait à la fabrication du stilton traditionnel s'est perdu sous l'effet des impératifs conjugués de la technologie moderne et des contraintes de temps. Le stilton n'en a pas moins gardé sa saveur inégalée, peut-être plus douce et plus accessible qu'elle ne l'était auparavant.

Le stilton tient son nom du petit village de Stilton ; cependant, il n'a jamais été fabriqué dans le village même, mais dans ses environs, et il est toujours fabriqué dans la région, dans les comtés de Derbyshire, Leicester-shire et Nottinghamshire. Sacré roi des fromages en Grande-Bretagne, le stilton bénéficie d'une protection légale (les droits sont détenus par la Stil-ton Cheesemakers' Association).

Le stilton est un fromage de forme cylindrique, avec une croûte géné-ralement brun grisâtre, pulvérulente par endroits. La pâte du fromage

lait	lait de vache
variété	pâte persillée demi-dure, croûte naturelle brossée
mat. grasse	de 48 à 55 %
affinage	3 à 18 mois
saveur	forte
vin	porto

jeune est friable ; elle se ramollit et devient plus foncée près de la croûte en vieillissant. Elle est d'une délicieuse couleur d'ivoire, avec des veinures bien réparties du cœur vers la périphérie, qui s'intensifient par endroits et prennent une couleur bleu-vert vif avec l'âge.

Son arôme est fortement noiseté, et sa saveur riche en noix et en fruits se renforce à mesure que le fromage vieillit.

Le stilton n'est jamais vendu avant l'âge de trois mois ; certains fromages mûrissent encore plus longtemps. Le meilleur stilton, fait avec du lait d'été, est mis en vente de septembre à Noël. L'âge de dégustation d'un fromage est fonction du goût de chacun, mais en règle générale, les fromages vendus en supermarché manquent de maturité. Les fromages à point se trouvent en fromagerie.

En Angleterre, le stilton est considéré comme un grand fromage d'après-dîner, traditionnellement servi avec du porto. À une époque, il était de bon ton de décalotter un fromage entier et de le manger à la cuiller. Parfois, on perçait le stilton avec des aiguilles à tricoter pour verser du porto dans les trous. Aujourd'hui, les experts désapprouvent ces pratiques et suggèrent que le fromage soit découpé en grands disques à partir du sommet, eux-mêmes coupés en quartiers pour être servis. Cette méthode empêche le fromage de sécher sur les bords et de se creuser au milieu, mais ce n'est pas aussi amusant !

Le stilton est maintenant très apprécié en snack ou comme ingrédient d'un repas léger, accompagné de pain, de pickles et, pourquoi pas, d'un verre de bière. C'est un fromage tout indiqué pour confectionner des canapés, agrémenter des salades ou farcir des pommes de terre en robe des champs. Le stilton est assez difficile à râper, mais il fond tel quel dans les soupes et les sauces. Le stilton en pot, issu d'un

ci-dessus : *salade au stilton.*

mélange de beurre ramolli, d'eau-de-vie et de noix muscade en poudre, fait un excellent beurre pour assaisonner les côtelettes ou les steaks grillés.

Achetez du stilton directement coupé dans une meule entière. Si vous achetez un gros morceau, coupez-le en plusieurs portions puis enveloppez-les dans du film fraîcheur et du papier d'aluminium pour les congeler. Sortez-les du congélateur 24 heures avant de servir et faites dégeler à température ambiante. Les petits fromages n'ont pas le même goût que les gros

Champignons farcis

À feu doux, faites revenir dans du beurre 4 ou 5 échalotes émincées. Émiettez 150 g de pain et ajoutez les échalotes blondies ainsi que 120 g de stilton, de la sauge fraîche et du persil hachés ; salez et poivrez. Mélangez bien et garnissez 350 g de champignons avec cette farce.
Disposez-les sur une plaque et faites cuire 35 minutes au four réglé à 170 °C/therm. 3.

RECETTE

White stilton : il est parfois possible de trouver du white stilton (stilton blanc). Ce sera toujours un fromage très jeune, car le stilton a tendance à bleuir naturellement. Les bonnes versions offrent une attrayante saveur citronnée, un peu aigre ; les mauvaises n'ont pratiquement pas de goût.

Flavoured stilton (stilton aromatisé) : on trouve dans le commerce différents stiltons aromatisés ou mélangés à d'autres fromages (cheddar ou gloucester double, notamment) en couches superposées. Cela permet d'utiliser les stiltons qui ne correspondent pas aux niveaux de qualité exigés.

Jumbuna : c'est un bleu australien de type stilton, fabriqué par Fred Leppin à Top Paddock Cheeses, à Bena, dans l'État de Victoria.

Tous les stiltons sont faits avec du lait pasteurisé. On ajoute tout d'abord une culture bactérienne puis de la présure. Quelques heures plus tard, le caillé est rompu verticalement et horizontalement en longs rubans (qui ressemblent à des tagliatelles) ou en cubes, puis on le laisse durcir à nouveau. La moisissure de pénicilline est ajoutée soit au lait, soit au caillé.

L'étape suivante consiste à transférer le caillé dans de grands égouttoirs puis à le laisser reposer pendant 24 heures avant de le couper à nouveau en blocs et de le casser à la main en morceaux de la taille d'une balle de tennis. Le caillé égoutté est ensuite broyé ; le sel est ajouté et mélangé à la main. Il est important de bien répartir le sel. Le caillé salé est mis en moule et régulièrement tourné jusqu'au moment du transfert des fromages dans la boutique du fromager. Ils sont percés deux ou trois fois pour augmenter la formation des veinures, puis au bout de douze semaines, ils sont classés par catégories.

Taleggio

Nord de l'Italie

$\mathcal{L}$e taleggio est l'un des fromages à pâte molle les plus anciens qui soient. En effet, il est fabriqué depuis le XIᵉ siècle par des familles établies dans ou près de la petite ville de Taleggio, près de Bergame en Lombardie.

Jadis, les fromages étaient faits en automne et en hiver lorsque les vaches descendaient des alpages. On trayait les bêtes lorsqu'elles étaient fatiguées – *stracche*, en dialecte lombard – après le long voyage, et c'est ainsi que les fromages ont reçu le qualificatif de *stracchino*.

Aujourd'hui, l'on trouve le taleggio en versions artisanales et industrielles. Ce sont des pavés carrés de 20 cm de côté environ (certains fromages sont parfois plus gros). Le taleggio possède une croûte lavée, orange rosé, assez mince chez un fromage jeune et qui s'épaissit avec l'âge en se couvrant de stries plus foncées. Elle ne doit pas être fissurée.

lait	lait de vache
variété	pâte demi-dure, croûte lavée
mat. grasse	48 %
affinage	6 à 10 semaines
saveur	modérée
vin	chianti réserve ou recioto di Soave

La pâte est souple, couleur d'ivoire, avec quelques trous ici et là. Les meilleures versions fermières exhalent un arôme exotique de raisins secs, de noix et de citrons acidulés, avec des notes de terroir. Le taleggio fond dans la bouche ; son goût, délicieusement riche et fruité, teinté de noisettes grillées, s'attarde longuement sur le palais.

Réservez au taleggio une place de choix en fin de repas, servez-le avec du pain au noix et une salade de fruits, ou bien composez un en-cas avec de la salade amère et des tomates très mûres. Le taleggio fond bien et agrémente à merveille la polenta ou le risotto. Utilisez-le pour faire des *bruschette* avec des courgettes grillées et de la sauge.

Le taleggio industriel est de plus en plus fabriqué selon une méthode moderne de cuisson du caillé qui donne des fromages plus proches de l'italico (voir page 64). La pâte de ces fromages est plus blanche, leur saveur très douce comparée à celle d'un taleggio fermier.

ci-dessus : *risotto de poulet aux courgettes parfumé au taleggio.*

V A R I A N T E

Robiola Lombardia : cette appellation désigne un groupe de fromages de type taleggio vendus sous des noms de marques variés.

Beignets de fromage

Coupez le fromage en tranches d'environ 1/2 cm d'épaisseur ; après les avoir saupoudrées de farine sur les deux faces, trempez-les dans un œuf battu puis dans la chapelure. Faites-les frire dans l'huile ou le beurre et retirez-les avec une écumoire. Servez immédiatement avec une salade verte fraîche. En Lombardie, le taleggio est souvent cuisiné ainsi et servi avec des œufs frits et du pain.

RECETTE

Tête-de-moine

Suisse

$\mathcal{L}$e tête-de-moine a été inventé par les moines de l'abbaye de Belleray, dans le Jura bernois, qui ont initié les fermiers de la région à sa fabrication. Il est fait uniquement avec le lait d'été, plus riche, et la tradition veut que les premiers fromages soient prêts pour la dégustation au moment où les arbres commencent à perdre leurs feuilles.

Maintenant fabriqué dans des coopératives laitières de la région, ce fromage porte parfois le nom de belleray. À l'inverse des autres fromages de montagne qui ont tendance à être très gros, celui-ci a la forme d'un petit cylindre, de la taille d'une grosse boîte de conserve.

La croûte peut être lisse et légèrement huileuse, ou bien rugueuse et de couleur brune. La pâte est ferme, de couleur jaune crème à jaune paille, et fonce en vieillissant. Elle présente parfois des petits trous ou des fissures horizontales. Les fromages plus vieux dégagent une forte odeur de noi-

lait	lait de vache
variété	p. demi-dure, pressée, croûte naturelle brossée
mat. grasse	50 %
affinage	4 à 6 mois
saveur	forte
vin	rouges du nord de la vallée du Rhône

ci-dessus : *comme pour tous les fromages suisses, l'étiquette collée sur le dessus porte le nom du fromage et de son lieu d'origine.*

settes grillées, avec des notes d'étable et de vin. Sa saveur est douce et acidulée, avec des notes de bois moisi et de noisettes.

Traditionnellement, le tête-de-moine est servi découpé en fins copeaux, ou frisures, avec du poivre du moulin et du cumin en poudre. Servez-le avec un assortiment de viandes séchées, des crudités ou des fruits.

Le tête-de-moine se découpe en tranches verticales, mais pour obtenir les frisures, il faut utiliser une girolle. On tourne la poignée de ce couteau spécial sur son axe : le fromage est raclé en surface, un peu sur les côtés aussi, ce qui forme une sorte de tonsure – ce qui a peut-être inspiré son nom.

Tetilla

*C*e fromage conique qui ressemble à une toupie est fabriqué en Galice avec le lait des vaches qui paissent l'herbe des pâturages situés sur le versant continental de la chaîne montagneuse longeant la mer. Les fromagers de la région façonnaient le fromage à la main, mais aujourd'hui le tetilla est fabriqué à l'échelle industrielle dans des moules en plastique. Ce changement de mode de fabrication n'altère pas toujours sa saveur.

La mince croûte jaune tire sur le vert. La pâte jaune pâle, parcourue de trous irréguliers, est élastique et facile à trancher. Le fromage dégage une odeur de prairies lactées. Il fond agréablement en bouche. Sa saveur est pleine de caramel et de noisettes, avec une pointe de citron aigre.

Servez le tetilla finement tranché avec du jambon cru (serano) et du chorizo, le tout arrosé d'un verre de xérès. Utilisez ce fromage pour faire des canapés avec des légumes grillés ou des cœurs d'artichauts à l'huile.

lait	lait de vache
variété	pâte demi-dure, pressée, croûte naturelle
mat. grasse	45 %
affinage	8 à 10 semaines
saveur	douce à modérée
vin	xérès

Tilsit

Allemagne

$\mathcal{L}$e tilsit a été inventé par les immigrants néerlandais installés dans la ville de Tilsit, anciennement en Prusse-Orientale et maintenant en Lituanie. Souvent imité, il est fabriqué dans toute l'Allemagne. Dans l'est du pays, il porte également le nom de « tollenser ».

Le tilsit se présente traditionnellement sous la forme d'une grosse meule, mais on a désormais tendance à fabriquer de gros pains qui se tranchent plus facilement à la machine. La croûte est mince et brunâtre, la pâte jaune crème, parcourue de nombreux trous.

La texture du tilsit est très élastique mais assez moelleuse. Certains fromages, en particulier ceux en forme de pain, ont une saveur douce et légèrement acidulée, mais les meilleurs fromages se distinguent par un goût épicé fort attrayant.

Le tilsit est un fromage qui se prête à de nombreux usages ; les Allemands le servent coupé en tranches fines au petit déjeuner, coupé en dés dans des salades et pour des en-cas, et en plus grosses portions en fin de repas, sur un plateau de fromages. Il fond bien et se marie à merveille avec les hamburgers. Le tilsit est excellent en cuisine, dans les plats de pâte, les quiches et les gratins de pommes de terre.

lait	lait de vache écrémé
variété	pâte demi-dure, cuite, croûte naturelle lavée
mat. grasse	de 30 à 50 %
affinage	6 mois
saveur	modérée
boisson	bière allemande

VARIANTES

Tilsit suisse : ce fromage était exporté sous l'appellation de « Royalp ». Il ressemble peut-être plus à l'appenzell que le tilsit allemand, car il a moins de gros trous et sa texture est plus ferme. Son goût aussi est différent, avec une note de terroir.

Tilsit Havarti : cette version fabriquée au Danemark est moins goûteuse que le tilsit allemand.

Kardella : version australienne du tilsit, fabriquée par la Top Paddock Cheeses dans l'État de Victoria.

RECETTE

Toasts de Brême

Grillez des tranches de pain complet ou de seigle et faites cuire des pointes d'asperges à la vapeur jusqu'à ce qu'elles soient bien tendres. Faites fondre un peu de beurre dans une poêle et faites revenir des médaillons de porc ou de veau des deux côtés pendant 4 ou 5 minutes. Disposez 2 médaillons et quelques asperges sur chaque toast, garnissez d'une tranche de tilsit. Mettez sous le gril du four jusqu'à ce que le fromage commence à faire des bulles.

Tomme de Savoie

*C*ette tomme, l'une des meilleures qui soient fabriquées en France, est élaborée en Savoie et en Haute-Savoie. Le mot «tomme» signifie «part» : ce terme générique désigne les fromages à pâte demi-dure fabriqués par des fromagers spécialistes.

La tomme présente une apparence rustique et une croûte reconnaissable, dure, friable, de couleur blanc grisâtre à brun rosé. La pâte est de couleur ivoire pâle, plus foncée près de la croûte. Souple et parsemée de petits trous, elle exhale un fort arôme végétal, avec des nuances ammoniacales, des notes de champignons et de caramel. Sa saveur est plus douce, avec un soupçon de caramel et d'agrumes.

Attention aux fromages qui ressemblent à la tomme de Savoie mais qui ont une croûte lisse et un goût fade. Si vous voulez des tommes authentiques, achetez celles qui portent une étiquette où sont imprimés les mots «fabriqué en Savoie» plutôt qu'«affiné en Savoie».

Servez-la avec du pain et de la salade ou des fruits. C'est également un excellent fromage à faire fondre sur des toasts.

lait	lait de vache
variété	pâte demi-dure, pressée, croûte naturelle
mat. grasse	de 20 à 40 %
affinage	2 mois
saveur	douce à modérée
vin	beaujolais

Vacherin fribourgeois

Suisse

$\mathscr{C}$e fromage du Valais, à ne pas confondre avec le vacherin mont-d'or suisse, est un fromage à pâte demi-dure, à la saveur riche et noisetée qui évoque la fontina italienne.

Le vacherin fribourgeois se présente sous forme de grosses meules de 30 à 40 cm de diamètre. Il possède une croûte brune huilée et texturée. La pâte est jaune pâle, parsemée de petits trous. Ce fromage exhale un fort arôme de terroir et de biscuit. Sa saveur évoque également le terroir, avec une touche de lard et de fourrage, pour finir sur une note de caramel.

Le fromage jeune, appelé «vacherin» à main, est servi principalement en dessert. Le fromage plus vieux, fait avec du lait d'hiver, est appelé «vacherin à fondue» et se mélange à parts égales avec le gruyère pour la fondue. Il fond à plus basse température et peut servir à faire une fondue sans alcool, en remplaçant celui-ci par de l'eau.

lait	lait de vache cru
variété	p. demi-dure, pressée, croûte natur. lavée
mat. grasse	45%
affinage	3 à 6 mois
saveur	modérée
vin	rioja

Vacherin mont-d'or

Franche-Comté

$\mathcal{L}$ e vacherin mont-d'or porte le nom d'une montagne jurassienne à cheval sur la frontière franco-suisse. Cependant, en 1973, la Suisse a réquisitionné le nom pour sa version du même fromage, c'est pourquoi le fromage AOC français s'appelle « vacherin du haut Doubs » et les autres versions, le « mont-d'or ».

C'est un fromage atypique car fabriqué avec du lait cru d'hiver, et pourtant tendre, merveilleusement aromatique et velouté. Habituellement, pour obtenir ce type de goût, on utilise du lait d'été, enrichi à l'herbe des pâturages.

Le vacherin mont-d'or est un fromage de forme cylindrique, de 13 à 30 cm de diamètre, cerclé d'un ruban d'écorce (épicéa ou sapin) et vendu dans des boîtes en pin. Cet emballage permet non seulement au fromage de garder sa forme – il devient parfois très coulant en mûrissant –, mais également de lui donner une saveur de résine très originale.

lait	lait de vache
variété	pâte molle, croûte fleurie
mat. grasse	50 %
affinage	3 semaines à 2 mois
saveur	modérée
vin	riesling

En surface, le fromage développe une moisissure blanche qui avec l'âge devient brun rosé et forme des plis. La pâte, très pâle, tire un peu sur le vert lorsque le fromage est jeune ; elle est parcourue de petits trous. Le fromage jeune est mou et peut se tartiner ; mais pour l'apprécier à sa juste

valeur, il est préférable de le déguster lorsqu'il est vraiment à point et coulant. Son arôme doux et lactique est très agréable, mais n'a rien à voir avec son étonnante saveur végétale, teintée d'une note de feuille moisie évoquant le terroir.

Traditionnellement, pour consommer un vacherin mont-d'or à point, on retire la croûte du dessus et on déguste la pâte crémeuse à l'intérieur. Les gens du Jura en font leur repas, accompagné de pommes de terre bouillies et de grains de cumin. Parfois, on l'arrose de vin, on enveloppe la boîte dans du papier d'aluminium et on le fait cuire 20 minutes à four chaud.

Servez un fromage entier en fin de repas avec des crackers nature et une coupe de fruits. Sinon, étalez un peu de fromage sur des toasts et mettez-les quelques minutes au four. Servez avec du riesling.

VARIANTE

Vacherin mont-d'or suisse : il est presque identique au vacherin mont-d'or français, mais fabriqué de l'autre côté de la frontière, dans le Jura suisse, et avec du lait pasteurisé. Les laiteries qui produisent ce vacherin sont situées dans la vallée de Joux, et le fromage peut donc également s'appeler « mont-d'or de Joux ».

Valençay

Berry

On raconte que le premier valençay fut fabriqué pour Talleyrand, homme politique français, qui possédait le château de Valençay dans la vallée du Cher. Aisément identifiable à sa forme de pyramide tronquée, le valençay se vend en été et en automne dans presque toutes les fermes de la région. Les fromages fabriqués en laiteries sont plus jeunes et commericalisés toute l'année.

Le valençay présente une croûte naturelle beige, noircie à la cendre. La pâte blanche est tendre et assez humide chez le fromage jeune, puis durcit à mesure qu'il mûrit au point de pouvoir être râpée. Son arôme n'est pas très caprin, mais plutôt terreux avec une pointe d'agrumes. La saveur est très douce, avec une vive nuance citronnée sur la fin. Les fromages plus vieux ont une saveur plus prononcée.

Servez le valençay sur du pain ou avec des toasts, au déjeuner ou au dîner, ou présentez-le avec d'autres fromages sur un plateau.

lait	lait de chèvre
variété	p. molle à ferme, croûte natur., parfois cendrée
mat. grasse	45%
affinage	4 à 5 semaines
saveur	modérée à forte
vin	vin blanc californien fumé

Wensleydale

Nord-est de l'Angleterre

L e wensleydale a connu une histoire quelque peu mouvementée ces dernières années, mais la tradition se perpétue et sa fabrication est assurée par une petite laiterie dans le nord-ouest du Yorkshire ainsi que dans quelques fermes. Ce fromage était à l'origine fabriqué par des moines de l'abbaye de Jervaulx située dans les environs, avec du lait de brebis et de chèvre.

De forme cylindrique, le wensleydale est, selon sa taille, enrobé de toile ou paraffiné. Sa croûte naturelle, jaune pâle, est mince et sèche ; la pâte, jaune pâle elle aussi, est ferme mais friable. Son arôme est délicat et lactique avec une agréable note végétale, de même que son goût auquel s'ajoute une pointe d'agrumes qui se renforce en évoquant la pomme acide et laisse un arrière-goût citronné.

Le wensleydale se déguste d'ordinaire avec du cake, du pain d'épices et de la tarte aux pommes. Pour un repas léger, il sera excellent avec de la

lait	lait de vache et un peu de lait de brebis
variété	pâte dure, pressée, croûte naturelle enrobée de toile
mat. grasse	45 %
affinage	2 à 6 mois
saveur	modérée
vin	chardonnay

salade, du pain ou des crackers. Si vous préférez, vous pouvez le servir avec des fruits frais, poires ou raisins, et le consommer le plus rapidement possible après l'achat. Le wensleydale s'accommode très bien en cuisine ; vous pouvez l'employer pour agrémenter divers plats et confectionner des feuilletés au fromage, des soupes au céleri, des champignons farcis...

Le wensleydale est fabriqué avec du lait pasteurisé collecté dans les fermes situées dans un rayon d'une quinzaine de kilomètres autour de la laiterie ; la présure utilisée est végétale. Le caillé est divisé, ébouillanté et divisé à nouveau en gros blocs. Il est ensuite salé et déchiqueté dans un broyeur avant d'être moulé et très légèrement pressé. Les fromages sont alors enrobés de toile et entreposés dans un hâloir avant d'être affinés de deux à six mois.

VARIANTES

Smoked wensleydale : pour obtenir une délicate saveur fumée, les fromages sont affinés puis fumés pendant 24 heures.

Blue wensleydale : à une certaine époque, le wensleydale était veiné de bleu – ce fromage marque donc un retour à la tradition. Sa saveur et douce et crémeuse. Il est très bon fondu, sur des toasts avec des brins de ciboule, ou sur des pommes de terre en robe des champs. Il est parfois fumé.

Panaggerty

Cette spécialité du Northumberland est délicieuse avec du wensleydale râpé. Chauffez un peu d'huile dans une poêle. Disposez au fond de la poêle 500 g de pommes de terre coupées en fines rondelles, 200 g d'oignons émincés et 100 g de wensleydale. Couvrez et faites cuire le tout pendant 30 minutes à feu doux ou moyen, jusqu'à ce que le dessous soit bien doré et que les pommes de terre soient fondantes. Pour finir, faites dorer le dessus sous le gril chaud du four.

RECETTE

Index

crédits et remerciements

Crédits photographiques

p. 7, p. 13 e.t. archive ; p. 9 H.J. Errington & Co ; p. 10, p. 31, p. 194 Food & Wine from France Ltd ; p. 12, p. 25 Easter Weens Farm, Bonchester Bridge ; p. 14 Westbury Communications Ltd ; p. 15 Osbourne Publicity Services Ltd ; p. 16, p. 17 Italian Trade Center ; p. 18, p. 211 Cheeses from Switzerland Ltd ; p. 19 Dutch Dairy Bureau ; p. 21, p. 46, p. 79, p. 159 Foods from Spain, Spanish Embassy Commercial Office ; p. 22, p. 161 Maytag Dairy Farms, Iowa ; p. 26 Jacqui Hurst ; p. 32, p. 28 (gauche) Colston Bassett & District Dairy Ltd, (droite) Alvis Brothers Ltd, Lye Cross farm ; p. 29 J & L Grubb Ltd ; p. 30, p. 43 The Highpoint Partnership ; p. 205 Westbury Blake ; p. 211 Gregory Ellis, Martin & Partners Ltd.

Remerciements

L'éditeur souhaite remercier les personnes, les magasins et les organismes suivants pour leur collaboration à l'élaboration de ce livre : La Fromagerie, 30 Highbury Park, Londres, pour la fourniture des nombreux fromages fermiers cités dans ce répertoire ; Divertimenti, Londres, pour la fourniture des ustensiles et du matériel utilisés pour les photographies ; et pour avoir donné des renseignements sur les différents fromages : Tillamook County Creamery, The Austrian Trade Commission, Ticklemore Cheese, Easter Weens Farm, Field MacNally Leathes PR pour Boursin, Louis et Jane Grubb à Lye Cross Farm, J.L. & E. Montgomery, S.H. & G.H. Keen, Mrs. Appleby de Broad Hay Farm, Lynher Valley Dairy, High Point PR pour MD Foods plc, Mrs. Smart de Smarts Gloucester Cheese, Gubbeen Farmhouse Products Ltd, H.J. Errington & Co, Wensleydale Dairy Products Ltd, Besnier Ltd.